SV

Band 857 der Bibliothek Suhrkamp

Thomas Bernhard
Beton

Suhrkamp Verlag

Erste Auflage 1985
© Suhrkamp Verlag Frankfurt am Main 1982
Alle Rechte vorbehalten
Druck: Nomos Verlagsgesellschaft, Baden-Baden
Printed in Germany

Beton

Von März bis Dezember, schreibt Rudolf, während ich, was in diesem Zusammenhang gesagt sein muß, große Mengen Prednisolon einzunehmen hatte, um meinem zum dritten Mal akut gewordenen *morbus boeck* entgegenzuwirken, trug ich alle nur möglichen Bücher und Schriften von und über Mendelssohn Bartholdy zusammen, suchte alle möglichen und unmöglichen Bibliotheken auf, um meinen Lieblingskomponisten und sein Werk von Grund auf kennenzulernen und, so mein Anspruch, mit dem leidenschaftlichsten Ernst für ein solches Unternehmen wie das Niederschreiben einer größeren wissenschaftlich einwandfreien Arbeit, vor welcher ich tatsächlich schon den ganzen vorausgegangenen Winter die größte Angst gehabt habe, alle diese Bücher und Schriften auf das sorgfältigste zu studieren, war mein Vorsatz gewesen und erst darauf, endlich, nach diesem gründlichen, dem Gegenstand angemessenen Studium, genau am siebenundzwanzigsten Jänner um vier Uhr früh diese meine, wie ich glaubte, alles bisher von mir die sogenannte Musikwissenschaft betreffende von mir aufgeschriebene Veröffentlichte sowie Nichtveröffentlichte weit zurück- und unter sich lassende, schon seit zehn Jahren geplante, aber immer wieder nicht zustande gekommene Arbeit angehen zu können nach der für den Sechsundzwanzigsten bestimmten Abreise meiner Schwester, deren wochenlange Anwesenheit in Peiskam selbst den geringsten Gedanken an eine Inangriffnahme meiner Arbeit über Mendelssohn Bartholdy in seinen Ansätzen sogleich zunichte gemacht hatte. Am Abend des Sechsundzwanzigsten, als meine Schwester tatsächlich und endlich abgereist war, mit allen aus ihrer krankhaften Herrsch- sucht und aus ihrem sie selbst am meisten ver- zehrenden, andererseits sie tagtäglich neu be- lebenden Mißtrauen gegen alles und in erster Linie gegen mich, und den daraus resultieren- den Fürchterlichkeiten, war ich mehrere Male aufatmend durch das Haus gegangen, um es einmal gut durchzulüften und schließlich in Anbetracht der Tatsache, daß schon der nächste Morgen der Siebenundzwanzigste sein wird, daran gegangen, alles für mein Vorhaben her- zurichten, die Bücher, die Schriften, die Berge von Notizen und die Papiere, alles auf meinem Schreibtisch genau jenen Gesetzen unterzu- ordnen, die schon immer die Voraussetzung waren für einen Arbeitsbeginn. Wir müssen allein und von allen verlassen sein, wenn wir eine Geistesarbeit angehen wollen! Wie nicht anders zu erwarten, hatte ich nach den Vorbereitungen, die mich über fünf Stunden, von halbneun Uhr am Abend, bis halbzwei Uhr in der Frühe in Anspruch genommen hatten, den Rest der Nacht nicht geschlafen, vor allem quälte mich fortwährend der Gedanke, meine Schwester könne aus irgendeinem Grund zurückkommen und meinen Plan zunichte machen, sie war in ihrem Zustand zu allem fähig, der kleinste Zwischenfall, die geringste Störung, sagte ich mir und sie bricht ihre Heimreise ab und kehrt um und ist wieder da, es ist nicht das erste Mal, daß ich sie an den Wiener Zug gebracht und für Monate verabschiedet habe und zwei oder drei Stunden später war sie wieder in meinem Haus um zu bleiben, solange es ihr beliebte. Ich horchte die ganze Zeit wachliegend, ob sie nicht an der Tür sei, abwechselnd horchte ich, ob meine Schwester an der Tür sei und dachte dann wieder an meine Arbeit, vor allem, *wie* ich diese Arbeit beginnen werde, was der erste Satz dieser Arbeit sein wird, denn ich wußte noch immer nicht, wie dieser erste Satz lauten solle und bevor ich nicht weiß, wie der erste Satz lautet, kann ich keine Arbeit anfangen und so quälte es mich die ganze Zeit, zu horchen, ob meine Schwester nicht wieder zurückgekommen sei und was für einen ersten Satz ich über Mendelssohn Bartholdy zu schreiben habe, immer wieder horchte ich und war verzweifelt und immer wieder dachte ich über den ersten Satz meiner Arbeit über Mendelssohn nach, genauso verzweifelt. An die zwei Stunden dachte ich gleichzeitig über den ersten Satz meiner Mendelssohn-Arbeit nach und horchte, ob meine Schwester nicht wieder zurückgekommen sei, um meine Arbeit über Mendelssohn, noch bevor ich sie überhaupt angefangen habe, zunichte zu machen. Schließlich aber mußte ich doch aus Erschöpfung, weil ich immer noch intensiver horchte, ob meine Schwester vielleicht wieder zurückgekommen ist, gleichzeitig in dem Gedanken, daß sie, *wenn* sie tatsächlich wieder zurückkommt, meine Arbeit über Mendelssohn Bartholdy unweigerlich zunichte macht und dazu, wie der erste Satz meiner Arbeit über Mendelssohn lautet, eingenickt sein; als ich erschrocken aufwachte, war es fünf Uhr. Ich hatte um vier Uhr mit meiner Arbeit anfangen wollen, jetzt war es fünf, über diese unvorhergesehene Nachlässigkeit, besser noch Disziplinlosigkeit, meinerseits, war ich erschrocken. Ich stand auf und wickelte mich in die Decke, in die von meinem Großvater mütterlicherseits ererbte Pferdedecke, ich schnürte die Decke mit dem Ledergurt, den ich genauso wie die Decke von meinem Großvater geerbt habe, so fest als möglich zu, so fest, daß ich gerade noch atmen konnte und setzte mich an den Schreibtisch. Naturgemäß war die Finsternis noch die größte. Ich vergewisserte mich, ob ich auch tatsächlich allein im Hause bin, außer meinem eigenen Pulsschlag hörte ich nichts. Mit einem Glas Wasser schluckte ich die mir von meinem Internisten vorgeschriebenen vier Prednisolontabletten und glättete das Papierblatt, das ich vor mich hingelegt hatte. Ich werde mich beruhigen und anfangen, sagte ich mir. Immer wieder sagte ich mir, ich werde mich beruhigen und anfangen, aber als ich es an die hundertmal gesagt hatte und ganz einfach nicht mehr hatte aufhören können das zu sagen, gab ich auf. Mein Versuch war mißlungen. In der Morgendämmerung war es mir nicht mehr möglich, mit meiner Arbeit anzufangen. Das Tageslicht zerstörte endgültig meine Hoffnung. Ich stand auf und verließ fluchtartig meinen Schreibtisch. Ich ging ins Vorhaus hinunter, weil ich glaubte, mich da, in der Kälte, zu beruhigen, denn ich war, über eine ganze Stunde am

Schreibtisch sitzend, in eine mich beinahe wahnsinnig machende Erregung hineingekommen, in eine solche nicht nur von meiner Geistesangespanntheit, sondern auch von den Prednisolontabletten hervorgerufenen Erregung, die ich gefürchtet hatte. Ich preßte beide Handflächen an die kalte Mauer, eine schon oft bewährte Methode, dieser Erregung Herr zu werden und beruhigte mich tatsächlich. Ich war mir bewußt, daß ich mich einem Thema ausgeliefert habe, das mich möglicherweise vernichten wird, aber ich hatte doch geglaubt, wenigstens den Anfang meiner Arbeit machen zu können an diesem Morgen. Ich hatte mich getäuscht, obwohl sie gar nicht mehr da war, fühlte ich doch an allen Ecken und Enden des Hauses noch meine Schwester, welche das geistfeindlichste Wesen ist, das sich denken läßt. Allein der Gedanke an sie, macht alles Denken in mir zunichte, hat immer alles Denken in mir zunichte gemacht, hat alle meine Geistespläne im Keim erstickt. Sie ist längst fort und beherrscht mich noch immer, dachte ich, meine Hände fest an die kalte Vorhausmauer drückend. Schließlich hatte ich die Kraft, meine Hände von der kalten Vorhausmauer zurückzuziehen und ein paar Schritte zu gehen. Auch in dem Vorhaben, über *Jenufa* etwas zu schreiben, war ich gescheitert, das war Ende Oktober, kurz bevor meine Schwester ins Haus gekommen ist, sagte ich mir, jetzt scheitere ich auch an Mendelssohn Bartholdy und ich scheitere sogar jetzt, wo meine Schwester gar nicht mehr da ist. Selbst die Skizze *Über Schönberg* habe ich nicht zuende gebracht, sie hat sie mir vernichtet, sie hat sie mir zuerst zerstört und dann endgültig vernichtet, indem sie genau in dem Augenblick in mein Zimmer eingetreten ist, in welchem ich glaubte, die Skizze zuende schreiben zu können. Aber gegen einen solchen Menschen wie meine Schwester, der so stark und gleichzeitig so geistfeindlich ist, kann man sich nicht wehren, er kommt und vernichtet, was der Kopf sich in monatelanger wahnsinniger Gedächtnisanstrengung, ja Gedächtnisüberanstrengung ausgedacht hat, sei es, was es wolle, sei es die kleinste Skizze über den kleinsten Gegenstand. Und nichts ist so zerbrechlich wie die Musik, welcher ich mich tatsächlich in den letzten Jahren ausgeliefert habe, zuerst hatte ich mich der praktischen Musik ausgeliefert, dann der theoretischen, zuerst die praktische bis zum Äußersten praktiziert, dann die theoretische, aber meine Schwester und alle ihr ähnlichen Menschen, deren Unverständnis mich Tag und Nacht verfolgt, hat alle meine Pläne zunichte gemacht, *Jenufa* hat sie mir zerstört, *Moses und Aron*, meine Schrift *Über Rubinstein*, meine Arbeit über *Die Six*, überhaupt alles und jedes, das mir heilig gewesen ist. Es ist furchtbar, kaum bin ich zu einer musikalischen Geistesarbeit fähig, taucht meine Schwester auf und zerstört sie mir. Als ob sie alles darauf richtete, meine Geistesarbeit zu zerstören. Als ob sie in Wien fühlte, daß ich hier, in Peiskam, ein Thema anzugehen im Begriff bin, wenn ich das Thema angehen will, taucht sie auf und zerstört es mir. Die Menschen sind dazu da, den Geist aufzuspüren und ihn zu vernichten, sie fühlen, ein Kopf ist bereit zu einer Geistesanstrengung und reisen herbei, um diese Geistesanstrengung im Keim zu ersticken. Und ist es nicht meine Schwester, die unglückliche, die bösartige, die hinterhältige, so ist es ein anderer ihrer Wesensart. Wieviele Schriften habe ich angefangen und dann, weil meine Schwester aufgetaucht ist, verbrannt. In den Ofen geworfen bei ihrem Auftreten. Kein Mensch sagt so oft wie sie: *ich störe doch nicht?*, ein Hohn, wenn das ein Mensch fortwährend auf der Zunge führt, der immer gestört hat und immer stören wird und dessen Lebensaufgabe es zu sein scheint, zu stören, alles und jedes zu stören und damit zu *zerstö-ren* und letztenendes zu vernichten und immer wieder das zu vernichten, was mir als das allerwichtigste erscheint auf der Welt: *ein Geistesprodukt.* Schon als wir Kinder waren, hatte sie bei jeder Gelegenheit versucht, mich zu stören, mich aus meinem, wie ich es damals genannt habe, Geistesparadies zu vertreiben. Wenn ich ein Buch in der Hand hatte, verfolgte sie mich solange, bis ich das Buch weglegte, sie hatte ihren Triumph, wenn ich es ihr voller Wut ins Gesicht schleuderte. Ich erinnere mich genau: hatte ich meine Landkarten ausgebreitet auf dem Boden, meine lebenslängliche Leidenschaft, so trat sie, mich im Augenblick erschreckend, aus ihrem Versteck hinter meinem Rücken und gerade auf die Stelle, auf die ich meine ganze Aufmerksamkeit gerichtet hatte, überall, wo ich meine geliebten Länder und Erdteile ausgebreitet habe, um sie mit meinen kindlichen Phantasien anzufüllen, sehe ich ihren plötzlich und bösartig daraufgesetzten Fuß. Schon mit fünf, sechs Jahren hatte ich mich in unseren Garten zurückgezogen mit einem Buch, einmal war es, ich erinnere mich deutlich, ein blaueingebundener Band mit Gedichten von Novalis gewesen aus der großväterlichen Bibliothek, in welchem ich, ohne ganz eigentlich zu verstehen, was in ihm gedruckt gewesen war, mein ganzes Sonntagnachmittagsglück herausgelesen hatte, Stunde um Stunde, bis mich meine Schwester ausfindig machte und mit Geschrei aus dem Gebüsch stürzte und mir das Novalis-Buch entriß. Unsere jüngere Schwester war ganz anders, aber sie ist seit dreißig Jahren tot und es ist unsinnig, sie heute mit meiner älteren zu vergleichen, die kränkelnde und kranke und schließlich tote, mit der immer gleich gesunden, alles um sie herum beherrschenden. Auch ihr Mann hatte sie nur zweieinhalb Jahre ausgehalten, dann flüchtete er aus ihrer Umklammerung nach Südamerika, nach Peru, um sich nie wieder bei ihr zu melden. Was sie anrührte, zerstörte sie und sie hat zeitlebens versucht, mich zu zerstören. Zuerst unbewußt, später bewußt, hatte sie alles darauf angelegt, mich zu vernichten. Bis zum heutigen Tag mußte ich mich gegen diesen unbändigen Vernichtungswillen meiner älteren Schwester wehren und ich weiß gar nicht, wie es mir bis heute gelungen ist, ihr zu entkommen. Sie tritt auf, wann sie will, sie geht, wann sie will, sie tut, was sie will. Sie heiratete den Realitätenvermittler, ihren Mann, *um* ihn nach Peru zu vertreiben und das Realitätenvermittlungsgeschäft zur Gänze an sich zu reißen. Sie ist ein

Geschäftsmensch, darauf war sie schon als ganz kleines Kind angelegt, auf die Geistesverfolgung und die mit dieser eng einhergehende Geldvermehrung. Daß wir dieselbe Mutter haben, habe ich nie begreifen können. Jetzt war sie schon beinahe vierundzwanzig Stunden aus dem Haus und beherrschte mich immer noch. Ich konnte mich ihr nicht entziehen, ich versuchte es verzweifelt, aber es gelang mir nicht. Bei dem Gedanken, daß sie bis heute im Schlafwagen grundsätzlich nur mit den eigenen Leintüchern reist, graust es mich. Ich riß zum drittenmal die Fenster auf, durchlüftete das ganze Haus bis es die hereingebrochene Kälte zu einem einzigen Eiskasten gemacht hatte, in welchem ich zu erfrieren drohte; hatte ich zuerst die Angst gehabt, ersticken zu müssen, so ängstigte mich jetzt der Gedanke, erfrieren zu müssen. Und alles wegen dieser Schwester, unter deren Einfluß ich zeitlebens zu ersticken und zu erfrieren drohte. Tatsächlich liegt sie in ihrer Wiener Wohnung bis halbelf Uhr vormittags im Bett und geht erst gegen halbzwei Uhr ins Imperial oder Sacher essen, wo sie, ihren Tafelspitz zerlegend und schluckweise ihren Rosé trinkend, mit den verkommenen Fürsten und überhaupt allen möglichen und unmöglichen kaiserlichen Hoheiten ihre Geschäfte macht. Mich ekelt vor ihrer heutigen Existenz. Auch an diesem Abreisetag hatte sie ihr Zimmer vollkommen unaufgeräumt hinterlassen, so daß ich mich schon gleich bei seinem Anblick vor der erst am darauffolgenden Wochenende kommenden Frau Kienesberger, die seit über zehn Jahren das Haus in Ordnung hält, genierte; alles lag wild durcheinander auf drei großen Haufen und die Bettdecke auf dem Boden. Und obwohl ich schon, wie gesagt, dreimal gelüftet hatte, war noch immer der Geruch meiner Schwester im Zimmer, tatsächlich war ihr Geruch noch immer im ganzen Haus, mich ekelte vor diesem Geruch. Sie hat auch meine jüngere Schwester auf dem Gewissen, denke ich oft, denn auch sie hatte vor ihrer älteren Schwester fortwährend Angst gehabt, in ihrer letzten Zeit wahrscheinlich tatsächlich Todesangst. Die Eltern machen ein kleines Kind und setzen damit ein Ungeheuer in die Welt, denke ich, das alles, das mit ihm in Berührung kommt, umbringt. Einmal hatte ich eine Schrift über Haydn verfaßt, nicht über Josef, über Michael Haydn, als sie plötzlich auftrat und mir die Feder aus der Hand schlug. Da ich die Schrift nicht fertig hatte, war sie ruiniert. *Jetzt habe ich dir deine Schrift ruiniert!* rief sie aus voller Entzücken und lief zum Fenster und rief diesen teuflischen Satz mehrere Male ins Freie, *jetzt habe ich dir deine Schrift ruiniert! Jetzt habe ich dir deine Schrift ruiert!* Dieser grauenhaften Überrumpelung war ich nicht gewachsen. Bei Tisch zerstörte sie jedes Gespräch schon in den Ansätzen, sie unterbrach es ganz einfach mit einem plötzlichen Gelächter oder mit einer grenzenlos dummen Bemerkung, die nichts mit dem gerade angefangenen Gespräch zu tun hatten. Mein Vater hatte sie noch am ehesten bändigen können, aber meine Mutter war ihr erbarmungslos ausgeliefert. Als unsere Mutter gestorben war, hatte meine Schwester, wir waren noch am Grab gestanden, mit gröbster Roheit vor sich hingesagt: *sie hat sich selbst umgebracht, sie war einfach zu schwach zum Leben. Die einen sind stark und die andern sind schwach,* waren ihre Wörter, wie wir aus dem Friedhof herausgegangen sind. Aber ich muß mich von meiner Schwester befreien, sagte ich mir jetzt und ging in den Hof hinaus. Ich atmete tief ein, was augenblicklich einen Hustenanfall bewirkte, sofort trat ich wieder ins Haus und ich mußte mich auf den Sessel unter dem Spiegel setzen, um einer Ohnmacht zuvorzukommen. Nur langsam erholte ich mich von dem Kälteeinbruch in meine Lungen. Ich nahm zwei Glyze-

rintabletten und in einem vier von den Predni-
solonpillen. Ruhe, Ruhe, sagte ich vor mich
hin, dabei beobachtete ich die Maserung des
Fußbodens, die Lebenslinien der Lärchenbret-
ter. Diese Beobachtung brachte mich wieder
ins Gleichgewicht. Vorsichtig stand ich auf
und ging wieder in den ersten Stock. Vielleicht
gelingt es mir jetzt, mit meiner Arbeit anzufangen, dachte ich. Aber gerade als ich mich hinsetzte, fiel mir ein, daß ich noch nicht gefrüh-
stückt habe und ich stand wieder auf und ging
in die Küche hinunter. Ich nahm Milch und
Butter aus dem Eiskasten, die englische Mar-
melade stellte ich dazu auf den Tisch und
schnitt mir zwei Brotscheiben vom Wecken
herunter. Ich stellte mir das Teewasser auf und
setzte mich, dann, als ich alles für mein Frühstück hergerichtet hatte, an den Tisch. Aber
diese Tatsache, die aus dem Eiskasten herausgenommene Butter und das aus der Schublade
herausgenommene Brot essen zu müssen, deprimierte mich. Ich machte nur einen einzigen
Schluck und verließ die Küche. Hatte ich es
schon nicht mehr ausgehalten, jeden Tag mit
meiner Schwester zu frühstücken, so hielt ich
es jetzt nicht aus, allein zu frühstücken. Es
ekelte mich vor dem Frühstück mit meiner
Schwester genauso, wie es mich jetzt ekelte,

allein zu frühstücken. Du bist wieder allein, du bist wieder allein, sei glücklich! sagte ich mir, aber das Unglück ließ sich auf diese plumpe Weise nicht übertölpeln. So einfach und mit einer solchen geradezu schamlosen Taktik, läßt sich das Unglück nicht zum Glück machen. Mit vollem Magen hätte ich ja überhaupt nicht mit meiner Schrift über Mendelssohn Bartholdy anfangen können, dachte ich, wenn, so nur mit dem leeren Magen. Der Magen muß leer sein, will ich eine Geistesarbeit wie diese über Mendelssohn Bartholdy anfangen. Und tatsächlich hatte ich immer nur mit leerem Magen eine Arbeit wie die über Mendelssohn Bartholdy anfangen können, niemals mit vollem. Wie habe ich auf die Idee kommen können, anzufangen nach dem Frühstück! sagte ich mir. Der leere Magen ermöglicht das Denken, der volle Magen knebelt es, würgt es von vornherein ab. Ich ging in den ersten Stock hinauf, aber ich setzte mich nicht gleich an den Schreibtisch, aus einer Entfernung von etwa acht oder neun Metern, durch die offene Tür von dem Neunmeterersterstockzimmer aus, betrachtete ich den Schreibtisch, vor allem, ob auch alles auf meinem Schreibtisch in Ordnung ist. Ja, es ist alles auf dem Schreibtisch in Ordnung, sagte ich mir. Alles. Ich nahm alles auf dem Schreibtisch in Augenschein, unbeweglich, unbestechlich. Ich beobachtete den Schreibtisch solange, bis ich mich selbst an meinem Schreibtisch sozusagen von hinten sitzen sah, ich sah, wie ich mich, meiner Krankheit entsprechend, vorbeugte, um zu schreiben. Ich sah, daß ich eine krankhafte Körperhaltung habe, aber ich bin ja auch nicht gesund, ich bin ja auch durch und durch krank, sagte ich mir. So wie du da sitzt, sagte ich mir, hast du schon ein paar Seiten über Mendelssohn Bartholdy geschrieben, vielleicht schon zehn oder elf Seiten, so sitze ich am Schreibtisch, wenn ich zehn oder elf Seiten geschrieben habe, sagte ich mir. Ich rührte mich nicht und beobachtete meine Rückenhaltung. Dieser Rücken ist der Rücken meines Großvaters mütterlicherseits, dachte ich, etwa ein Jahr vor seinem Tod. Ich habe dieselbe Rückenhaltung, sagte ich mir. Unbeweglich verglich ich meinen Rücken mit dem Rücken meines Großvaters und ich dachte dabei an eine ganz bestimmte Fotografie, die nur ein Jahr vor dem Tod meines Großvaters gemacht worden ist. Der Geistesmensch ist aufeinmal zu einer solchen krankhaften Rückenhaltung gezwungen und stirbt bald darauf. Ein Jahr darauf, dachte ich. Dann war das Bild weg, ich saß nicht mehr an meinem Schreibtisch, der Schreibtisch war leer, das Blatt Papier darauf war genauso leer. Wenn ich jetzt hingehe und anfange, könnte es mir gelingen, sagte ich mir, aber ich hatte nicht den Mut, hin zu gehn, ich hatte die Absicht, aber nicht die Kraft dazu, weder die Körperkraft, noch die Geisteskraft. Ich stand da und schaute durch die Tür auf den Schreibtisch und fragte mich, wann der Moment da sei, an den Schreibtisch zu treten und mich hinzusetzen und mit der Arbeit anzufangen. Ich horchte, aber ich hörte nichts. Obwohl die Nachbarn unmittelbar um das meinige ihre Häuser haben, war nichts zu hören. Als ob in diesem Augenblick alles tot gewesen wäre. Plötzlich war mir dieser Zustand angenehm und ich versuchte, ihn solange als möglich in die Länge zu ziehen. Mehrere Minuten hatte ich diesen Zustand in die Länge ziehen und genießen können, die Vorstellung und die Gewißheit, daß alles tot ist um mich herum. Dann aufeinmal: *du gehst an den Schreibtisch und setzt dich hin und schreibst den ersten Satz deiner Studie auf. Nicht mit Behutsamkeit, mit Entschiedenheit!* sagte ich mir. Aber ich hatte nicht die Kraft dazu. Ich stand da und getraute mich kaum zu atmen. Setz' ich mich hin, gibt es sofort eine Störung, einen unvorhergesehenen Zwischenfall, jemand klopft an die Tür, ein Nachbar schreit, der Briefträger verlangt meine Unterschrift. Du mußt dich ganz einfach hinsetzen und anfangen, ohne nachzudenken, wie im Schlaf mußt du den ersten Satz zu Papier bringen undsofort. Am Abend, während ich noch mit meiner Schwester zusammen war, hatte ich die Sicherheit, in der Frühe, wenn sie endgültig abgereist ist, mit meiner Arbeit anfangen zu können, von den vielen in Betracht gezogenen ersten Sätzen meiner Mendelssohn Bartholdy-Arbeit dann ganz einfach den einzigen möglichen und dadurch richtigen auf das Papier zu setzen und die Arbeit voranzutreiben, rücksichtslos, weiter und weiter. Ist erst einmal meine Schwester aus dem Haus, kann ich anfangen, habe ich mir immer wieder gesagt und wieder einmal den Sieg davongetragen. Ist der Unmensch aus dem Haus, entsteht meine Arbeit von selbst, mache ich alle auf diese Arbeit bezogenen Ideen zu einer einzigen, zu meinem Werk. Aber jetzt war meine Schwester schon weit über vierundzwanzig Stunden aus dem Haus und ich war weiter denn je davon entfernt, mit meiner Arbeit anfangen zu können. Sie, meine Vernichterin, hatte mich noch immer in ihrer Gewalt. Sie lenkte meine Schritte und verfinsterte gleichzeitig meinen Kopf.

Nach dem Tod unseres Vaters, drei Jahre nach dem Tod unserer Mutter, verschärfte sich ihre Rücksichtslosigkeit mir gegenüber. Sie war sich immer ihrer Stärke, gleichzeitig meiner Schwäche bewußt. Diese Schwäche meinerseits hat sie zeitlebens ausgenützt. Was unsere gegenseitige Verachtung betrifft, so hält sie sich seit Jahrzehnten die Waage. Mich ekelt vor ihren Geschäften, sie ekelt vor meiner Phantasie, ich verachte ihre Erfolge, sie verachtet meine Erfolglosigkeit. Das Unglück ist, daß sie das Recht hat, jederzeit, wann sie will, in meinem Haus ihr Quartier aufzuschlagen, dieser fürchterliche Passus im Testament meines Vaters ist für mich entsetzlich. Sie meldet sich ja meistens überhaupt nicht an, ist aufeinmal da und geht, als ob es zur Gänze ihr gehörte, durch mein Haus, in welchem sie ja nur *ein Wohnrecht* hat, aber dieses Wohnrecht ist ein lebenslängliches und es ist nicht räumlich beschränkt. Und wenn es ihr einfällt, irgendwelche zwielichtigen Freunde mitzubringen, kann ich dagegen nichts tun. Sie breitet sich in meinem Haus, als ob es ihr allein gehörte, aus und verdrängt mich und ich habe nicht die Kraft, mich dagegen zu wehren, ich müßte ein ganz anderer Charakter, ein ganz anderer Mensch sein. Dann weiß ich nicht, bleibt sie zwei Tage oder zwei Stunden oder vier oder sechs Wochen oder überhaupt mehrere Monate, weil es ihr in der Stadt auf einmal nicht mehr gefällt und sie sich die Landluft verschrieben hat. Wie sie *mein lieber kleiner Bruder* sagt, davor ekelt es mich. *Mein lieber kleiner Bruder,* sagt sie, *jetzt bin ich in der Bibliothek, nicht du* und sie fordert tatsächlich, daß ich, selbst wenn ich schon eingetreten bin oder überhaupt schon längere Zeit vor ihr in der Bibliothek gewesen bin, die Bibliothek augenblicklich verlasse. *Mein lieber kleiner Bruder, was hast du davon, daß du diesen ganzen Unsinn studiert hast, krank bist du davon, schon fast verrückt, eine traurige, komische Figur,* hat sie am letzten Abend gesagt, um mich zu verletzen. *Seit einem Jahr faselst du von Mendelssohn Bartholdy, wo ist dein Werk?* sagte sie. *Du gehst nur mit Toten um, ich mit den Lebenden, das ist der Unterschied. In meiner Gesellschaft sind lebendige Menschen, in deiner nur Tote. Weil du vor den Lebendigen Angst hast,* sagt sie, *weil du nicht den geringsten Einsatz zu leisten gewillt bist, den Einsatz, der zu leisten ist, wenn der Mensch mit lebendigen Menschen umgehen will. Du sitzt hier in deinem Haus, das nichts anderes als eine Gruft ist und pflegst den Umgang mit den Toten, mit Mutter und*

Vater und unserer unglücklichen Schwester und mit allen deinen sogenannten Geistesgrößen! Es ist erschreckend! Tatsächlich hat sie recht, denke ich jetzt, sie sagt die Wahrheit. Mit der Zeit habe ich mich vollkommen in dieser Gruft, die mein Haus ist, verrannt. Ich stehe in der Frühe *in der Gruft* auf und renne den ganzen Tag in der Gruft hin und her und lege mich spät in der Nacht schlafen in dieser Gruft. *Dein Haus!* rief sie mir ins Gesicht, *deine Gruft!* Sie hat ja recht, sagte ich mir jetzt, alles, was sie sagt, stimmt, ich gehe mit keinem einzigen lebendigen Menschen um, habe sogar den Kontakt mit den Nachbarn aufgegeben, außer, wenn ich mich mit Lebensmitteln zu versorgen habe, gehe ich ja überhaupt nicht mehr aus dem Haus. Und ich bekomme auch beinahe keine Post mehr, weil ich selbst keine Briefe mehr schreibe. Wenn ich essen gehe, fliehe ich, kaum daß ich eingetreten bin und meine Mahlzeit, vor welcher es mich ekelt, gegessen habe, aus dem Gasthaus. So kommt es, daß ich kaum mehr mit einem Menschen spreche und ab und zu habe ich das Gefühl, ich kann überhaupt nicht mehr sprechen, ich habe das Sprechen verlernt, ungläubig mache ich eine Sprechübung, um festzustellen, ob noch ein Laut aus mir herauskommt, denn selbst mit

27

der Kienesberger rede ich die meiste Zeit nichts. Die macht ihre Arbeit, ich erteile ihr keine Befehle, manchmal habe ich sie überhaupt nicht wahrgenommen und sie ist schon wieder weg. Warum habe ich eigentlich tatsächlich den Vorschlag meiner Schwester, für ein paar Wochen zu ihr nach Wien zu gehen, abgelehnt, rüde, als hätte ich eine bösartige Beleidigung zu parieren gehabt? Was bin ich für ein Mensch geworden seit dem Tod der Eltern? fragte ich mich. Ich hatte mich auf den Vorhaussessel gesetzt und jetzt fror mich aufeinmal. Das Haus war nicht leer, es war tot. Es ist eine Gruft, dachte ich. Aber sind außer mir noch andere Menschen in ihm, halte ich es überhaupt nicht aus. Wieder sah ich meine Schwester in schlechtem Lichte. Sie hatte doch nur Hohn und Spott für mich übrig. Sie machte mich, wo sie nur konnte, lächerlich, alle Augenblicke und wenn die Gelegenheit dazu da war, vor allen andern. So sagte sie vor einer Woche, am Dienstag, als wir den sogenannten Minister (Landwirtschafts- und Kulturminister in einem!) aufsuchten, der seine Villa von Grund auf hat erneuern lassen und der mir widerlicher ist als alle andern, vor der ganzen Gesellschaft im sogenannten *blauen Salon* (!), *er* (also ich!) *schreibt seit zehn Jahren an einem Buch über Mendelssohn Bartholdy und hat noch nicht einmal den ersten Satz im Kopf.* Schallendes Gelächter aller dieser stumpfsinnigen Leute in ihren widerwärtigweichen Fauteuils, war die Folge gewesen und tatsächlich fragte einer der Anwesenden, ein Internist aus Vöcklabruck, der Nachbarstadt, wer denn nun eigentlich Mendelssohn Bartholdy sei. Worauf meine Schwester teuflisch lachend das Wort *Komponist* ausgestoßen hat, was wiederum nur ein ekelhaftes Gelächter hervorgerufen hatte bei diesen Leuten, die alle Millionäre und stumpfsinnig und dazu auch noch abgestandene Grafen und senile Barone sind, die jahraus, jahrein in Jahrzehnten durchgestunkene Lederhosen anhaben und ihre armseligen Tage mit Geschwätz über Gesellschaft, Krankheit und Geld ausfüllen. Augenblicklich hatte ich *diese Gesellschaft* verlassen wollen, aber ein Blick meiner Schwester genügte, mein Vorhaben aufzugeben. Ich hätte aufstehen und gehen sollen, dachte ich jetzt, aber ich bin sitzen geblieben und habe diese sich bis in die späte Nacht hineinziehende grauenhafte Erniedrigung über mich ergehen lassen. Es wäre doch unmöglich gewesen, meine Schwester allein zu lassen in dieser Gesellschaft, die ihr in allem und jedem entsprochen hatte, es waren eben alles angesehene Leute mit viel, ja mit unendlich viel Geld im Hintergrund und mit allen möglichen die Welt in Atem haltenden Titeln. Wahrscheinlich, dachte ich jetzt, wittert sie ein Geschäft, sie machte ja die größten Geschäfte mit diesen alten Grafen und alten Baronen, die sehr oft kurz vor dem Lebensende riesige Happen ihrer noch viel riesigeren Besitzungen abstießen, um sich und naturgemäß dadurch auch ihre Erben, zu erleichtern. Natürlich, ein solcher Abend in einem solchen Hause und in einer solchen Gesellschaft kann für meine Schwester ein Millionengeschäft bedeuten, dachte ich, mir bedeutet es nichts, aber ich habe ja immer auf meine Schwester Rücksicht zu nehmen. Sie verschränkt ihre Beine und sagt einem alten Baron einen schmeichelhaften durch und durch verlogenen Satz und verdient sich damit ein ganzes Jahr Lotterleben, dachte ich. Schon als Kind hatte meine Schwester einen unglaublich geschärften Geschäftsgeist. Ich erinnere mich, daß sie unumwunden jeden Gast, der hier auftauchte, um Geld angegangen ist, die Leute fanden das originell für ein Kind von sieben, acht Jahren, obwohl es sie hätte abstoßen müssen, wie es mich damals schon abgestoßen hat. Die Eltern verboten es ihr natürlich, aber sie hielt sich schon damals an keinerlei elterliches Verbot. Auf dieser Gesellschaft, von welcher ich gerade gesprochen habe, ermunterte sie am Ende noch den sogenannten Baron Lederer, der in Wirklichkeit, wie ich weiß, überhaupt kein Baron ist, sie bei seinem nächsten Besuch in Wien, in das Bristol einzuladen; was jedem als eine Unverschämtheit erscheinen mußte, war in Wirklichkeit ein grandioser Schachzug meiner Schwester, die immer genau wußte, wie ihre Geschäfte anzubahnen sind. Und sie hat immer Erfolg gehabt. Wenn sie heute sagt, sie habe nach dem Tod unserer Eltern ihr Vermögen verdreifachen können, so muß ich annehmen, daß sie es nicht nur einmal, sondern wahrscheinlich drei- oder viermal verdreifacht hat, denn in Geschäftsangelegenheiten hat sie mich immer belogen, schon aus Angst, ich könnte eines Tages auf die Idee kommen, etwas von ihr zu fordern. Davor braucht sie keinerlei Angst zu haben. Was ich noch habe, reicht, solange ich lebe, denn ich lebe ja nicht mehr lang, sagte ich mir und stand vom Sessel auf und ging in die Küche. Da ich ja jetzt in meinem Vorhaben, gleich in der Frühe mit meiner Arbeit über Mendelssohn Bartholdy anzufangen, gescheitert bin, sagte ich mir, kann ich mich ja in die Küche setzen und frühstücken.

Während ich widerwillig mein Brot aß und den inzwischen kalt gewordenen Tee trank, ich hatte keine Lust, mir einen neuen zu kochen, hörte ich mehrere Male meine Schwester sagen, *komm doch zu mir nach Wien, ein paar Wochen, du wirst sehen, es hilft dir, es reißt dich aus allem heraus, aus dir selbst heraus,* hatte sie mehrere Male betont. Allein die Vorstellung, in Wien mit meiner Schwester zusammensein zu müssen, verursachte mir Übelkeit. Und wenn sie hundertmal recht hat, ich werde das niemals tun. Wien ist mir verhaßt. Ich laufe zweimal die Kärntnerstraße und den Graben auf und ab und werfe dann noch einen Blick in den Kohlmarkt hinein, das genügt, daß es mir den Magen umdreht. Seit dreißig Jahren dasselbe Bild, dieselben Menschen, dieselben Stumpfsinnigkeiten, dieselben Infamien, Niederträchtigkeiten, Verlogenheiten. Sie habe sich, im obersten Stockwerk ihres eigenen Hauses auf dem Graben (!) eine dreihundert Meter große vollkommen neue *luxuriöse* Wohnung gebaut, die solle ich mir anschauen. Ich denke nicht daran, dachte ich und kaute an meinem alten Brot. Sie war hergekommen, sagte ich mir, nicht nur, wie sie mir glauben machen wollte, um einen Kranken, möglicherweise einen Todkranken zu behandeln, der ich wahrscheinlich wirklich bin, sondern einen Verrückten, aber das getraute sie sich denn doch nicht auszusprechen. Sie behandelt mich ja vollkommen wie einen Verrückten, so behandelt man nur einen Verrückten, einen Wahnsinnigen, mußte ich mir, mein Brot kauend, sagen. Am Ende hatte sie aber doch ganz deutlich gesagt, *mein Besuch bei dir hat, wie ich sehe, nichts genützt. Immerhin, ich habe ein paar gute Geschäfte mit deinen Nachbarn gemacht,* so sie. Unverfroren, kalt, berechnend. Dir ist nicht zu helfen, dir kann niemand helfen, hat sie bei unserem letzten Mittagessen gesagt. Du verachtest alles, hat sie gesagt, alles auf der Welt, alles das, das *mir* Vergnügen macht, verachtest du. Und vor allem verachtest du dich selbst. *Du bezichtigst alle aller Verbrechen, das ist dein Unglück.* Das hat sie tatsächlich gesagt und ich hatte es nicht in dem ganzen Umfang seiner Unerhörtheit wahrgenommen, erst jetzt ist es mir klar geworden, daß sie sozusagen den Nagel auf den Kopf getroffen hat. Mir macht das Leben Spaß, obwohl auch ich meine Leiden habe, jeder hat diese Leiden, mein lieber kleiner Bruder, aber du verachtest das Leben, das ist dein Unglück, deshalb bist du krank, deshalb stirbst du. Und du stirbst bald, wenn du dich nicht änderst, hat sie gesagt. Ich hörte es jetzt deutlich, deutlicher als in dem Augenblick, in welchem es von ihr mit der ihr entsprechenden Gefühlskälte gesagt war. Meine Schwester, die Hellsichtige, absurd! Wahrscheinlich hat sie recht, daß es gut wäre, eine zeitlang von Peiskam wegzugehen, aber ich habe keine Garantie, daß ich meine Arbeit an einem anderen Ort anfangen kann, geschweige denn vorwärts bringen. Während des Nachtmahls hatte sie mehrere Male *Mendelssohn Bartholdy!* ausgerufen, als wollte sie sich mit diesem Ausruf besonders gründlich belustigen, wahrscheinlich, weil sie genau wußte, daß es mich jedesmal zutiefst treffen mußte. Tatsache ist, daß ich ihr gegenüber schon vor weit über zehn Jahren von der Idee, etwas, ich sagte nicht, ein Buch oder eine Schrift, daß ich *etwas* über Mendelssohn Bartholdy zu schreiben beabsichtigte, gesprochen habe. Damals hatte sie noch niemals etwas von Mendelssohn Bartholdy gehört, jetzt machte sie das unaufhörlich von mir bei jeder Gelegenheit ausgesprochene Wort Mendelssohn Bartholdy verrückt, sie konnte es nicht mehr hören, wenigstens nicht mehr von mir, sie verbot es mir, den Namen Mendelssohn Bartholdy noch einmal in ihrer Gegenwart auszusprechen, wenn Mendelssohn Bartholdy, dann von ihr selbst ausgesprochen, denn das bereitete ihr ein Vergnügen, weil es mich, nach zehnjähriger Erprobung, lächerlich machen mußte. Im übrigen haßt sie die Musik von Mendelssohn Bartholdy, was ganz zu ihr paßt. *Wie kann man diesen Mendelssohn lieben, wenn es Mozart und Beethoven gibt!* hat sie einmal ausgerufen. Es wäre unsinnig gewesen, ihr jemals eine Erklärung für meine Gründe, mich gerade mit Mendelssohn Bartholdy auseinanderzusetzen, zu geben. Mendelssohn Bartholdy war schon viele Jahre lang das Reizwort zwischen uns beiden geworden, an ihm prallten wir aufeinander mit allen unseren fürchterlichen, krankhaften und dadurch qualvollen Gegensätzlichkeiten. Du liebst diesen Mendelssohn Bartholdy ja nur, weil er Jude ist, sagte sie höhnisch. Und vielleicht hatte sie mit dieser unvermittelt zum erstenmal bei ihrem letzten Besuch ausgesprochenen Bemerkung recht. Sie war aufgetaucht und hatte meine Arbeit und am Ende mich selbst beinahe ruiniert. Die Frauen tauchen auf und klammern sich an einen und ruinieren einen. Aber hatte ich sie nicht gerufen? Hatte ich ihr nicht den Vorschlag gemacht, nach Peiskam zu kommen, auf ein paar Tage? Ich hatte ihr ein Telegramm geschickt, in welchem ich sie aufgefordert habe, nach Peiskam zu kommen. Auf ein paar Tage allerdings nur, nicht auf Monate. Wie weit war ich gekommen, daß ich ihr telegrafiert habe! Tatsächlich erhoffte ich von ihr eine Hilfestellung, nicht meine Zerstörung. Aber es ist immer das gleiche: ich erbitte, ich erflehe geradezu eine Hilfestellung von ihr und sie ruiniert mich! Und obwohl ich das weiß, habe ich ihr wieder telegrafiert, zum hundertstenmal habe ich meine Zerstörerin ins Haus geholt. Es ist wahr, ich habe um ihre Hilfe telegrafiert, es ist unwahr, daß sie gänzlich unaufgefordert nach Peiskam gekommen ist. Die Wahrheit ist doch immer die fürchterlichste, aber es ist doch besser, sich immer wieder an die Wahrheit zu halten, als an die Lüge, an die Selbstbelügung. Aber ich hatte ihr nicht telegrafiert, daß sie monatelang bleiben solle, denn monatelang meine Schwester in meinem Haus, das ist die Hölle und ich habe ihr das auch gesagt, ich habe gesagt, wenn du monatelang da bist, ist es die Hölle, worauf sie gelacht hat. Mein lieber kleiner Bruder, hat sie gesagt, du wärst ja verkommen, wenn ich dich so bald wieder alleingelassen hätte, du hättest möglicherweise nicht einmal überlebt. Darauf schwieg ich, vielleicht weil es mir in diesem Augenblick zu Bewußtsein gekommen war, daß sie recht hatte. Aber was nützt es jetzt, mir meinen Kopf darüber zu zerbrechen, ob ich sie herbeigeholt habe oder nicht, was ja schließlich geklärt ist, die Tatsache ist ja doch, daß sie in dem Augenblick, in welchem ich imstande gewesen war, mit meiner Arbeit über Mendelssohn Bartholdy anzufangen, hätte abreisen sollen, aus Peiskam verschwinden! Aber ein solcher Mensch wie meine Schwester hat kein so feines Ohr für einen solchen Augenblick. Und ich selbst getraute mich naturgemäß nicht, ihr zu sagen, daß der Augenblick, in welchem ich die Studie oder was immer über Mendelssohn, ja doch an die hundertfünfzig Seiten wahrscheinlich oder noch mehr, zu schreiben in der Lage bin, da ist und sie verschwinden solle. So haßte ich sie aufeinmal und sie wußte wahrscheinlich gar nicht, warum, und verfluchte sie und verpaßte so die Gelegenheit, mit der Arbeit über Mendelssohn Bartholdy anzufangen. Aber wahrscheinlich hatte ich mich geschämt, ihr klarzumachen, daß ich sie nur wegen dieser noch nicht angefangenen Arbeit nach Peiskam hatte kommen lassen, also sozusagen als ganz und gar primitives Hilfsmittel für mein Geistesprodukt zu mißbrauchen, durchaus imstande sei. Der sogenannte Geistesmensch geht ja immer wieder über einen Menschen, den er *dafür* getötet und

also zur Leiche gemacht hat für seinen Geistes-
zweck. Im entscheidenden Augenblick hätte
ein solcher sogenannter Geistesmensch ohne
weiteres einen Menschen, der ihm ein solches
Geistesprodukt ermöglicht, für dieses Geistesprodukt geopfert, zutode mißbraucht in seiner teuflischen Spekulation. So hatte ich gedacht, meine Schwester für mein Geistesprodukt mißbrauchen zu können, aber meine
Rechnung war nicht aufgegangen. Im Gegenteil, hatte ich die größte Dummheit begangen,
indem ich meiner Schwester nach Wien telegrafiert habe: *komm auf ein paar Tage!* Es stellte
sich heraus, daß sie selbst ohne meine Auffor-
derung genau an demselben Tag nach Peiskam
gekommen wäre, weil ihr Wien zum Hals heraus hing, plötzlich hatten ihr die fortwähren-
den Gesellschaften, alle diese haarsträubend
stumpfsinnigen Leute den Ekel verursacht,
den sie, weil sie diese Gesellschaften bis auf die
Spitze getrieben hatte in den letzten Monaten,
verdiente. Ich griff mich an den Kopf, bei dem
Gedanken, daß ich mir mein Telegramm hätte
sparen können, denn ohne mein Telegramm
hätte ich wahrscheinlich ohne weiteres den
Mut gehabt, ihr nach ein paar Tagen zu sagen,
daß sie jetzt wieder verschwinden solle. So
aber hatte ich, weil ich sie ja nach Peiskam ge-

beten hatte, diesen Mut nicht, es wäre ja auch eine Unverschämtheit ohnegleichen gewesen, sie herzubitten und dann auch gleich wieder aus dem Haus zu werfen. Im übrigen kenne ich sie zu gut, als daß ich nicht wüßte, daß sie, wenn ich ihr gesagt hätte, daß sie verschwinden solle, gar nicht daran gedacht hätte, zu verschwinden. Sie hätte mir ins Gesicht gelacht und sich dann vollkommen im Haus ausgebreitet. Einerseits können wir, Unseresgleichen, nicht allein sein, andererseits halten wir es in Gesellschaft nicht aus, wir halten es in männlicher Gesellschaft, die uns zutode langweilt, nicht aus, aber in weiblicher auch nicht, die männliche Gesellschaft habe ich Jahrzehnte überhaupt aufgegeben, weil sie die unergiebigste ist, die weibliche geht mir aber in kürzester Zeit auf die Nerven. Meiner Schwester hatte ich allerdings immer wieder zugetraut, mich aus der Hölle des Alleinseins zu erretten und ehrlich gesagt, ist es ihr auch sehr oft gelungen, mich aus dem Alleinsein, das doch die meiste Zeit nichts anderes ist, als ein schwarzer verheerender, ekelerregender stinkender Sumpf, herauszuziehen, aber in letzter Zeit hatte auch sie dazu nicht mehr die Kraft, vielleicht auch nicht mehr den Willen; vielleicht zweifelte sie auch schon zu lange an meiner Ernsthaftigkeit und dafür ist ja ihre ständige rücksichtslose Hänselei meinerseits mit Mendelssohn Bartholdy, ein Beweis. Ich hatte seit Jahren keine Schrift mehr zustande gebracht, wegen meiner Schwester, wie ich immer behaupte, aber vielleicht auch wegen meiner tatsächlichen Unfähigkeit, überhaupt jemals noch eine Schrift zu schreiben. Wir versuchen alles, um mit einer solchen Schrift anfangen zu können, wirklich alles und ist es das Fürchterlichste, wir schrekken vor nichts zurück, das uns eine solche Schrift schreiben läßt und sei es die größte Unmenschlichkeit und die größte Perversität und das schwerste Verbrechen. Allein in Peiskam, von allen diesen kalten Mauern umgeben, mit dem Blick immer nur auf die Nebelwände, hätte ich keine Chance gehabt. Ich hatte ja die unsinnigsten Versuche gemacht, mich beispielsweise auf die Treppe, die vom Speisezimmer in den ersten Stock hinaufführt, gesetzt und ein paar Seiten Dostojevski deklamiert, aus dem *Spieler* in der Hoffnung, durch diese Maßnahme, meine Arbeit über Mendelssohn Bartholdy anfangen zu können, aber natürlich scheiterte dieser absurde Versuch, er endete mit einem längeren Schüttelfrost und damit, daß ich mich mehrere Stunden schweißtriefend in meinem Bett hin- und herwälzte. Oder ich lief in den Hof hinaus, atmete dreimal tief ein und dreimal tief aus, um dann abwechselnd den rechten und dann den linken Arm soweit als möglich auszustrecken. Aber auch diese Methode erschöpfte mich nur. Ich versuchte es mit Pascal, dann mit Goethe, dann mit Alban Berg, umsonst. Wenn ich einen Freund hätte! sagte ich mir wieder, aber ich habe keinen Freund und ich weiß, warum ich keinen Freund habe. Eine Freundin! rief ich aus, so daß es im Vorhaus widerhallte. Aber ich habe keine Freundin, ganz bewußt habe ich keine Freundin, denn dann hätte ich ja meine Geistes-ambitionen vollkommen aufgeben müssen, man kann nicht eine Freundin haben und gleichzeitig Geistesambitionen, wenn man in einem so schlechten Allgemeinzustand ist wie ich. An eine Freundin *und* an Geistesambitio-nen ist nicht zu denken! Entweder ich habe eine Freundin, oder ich habe Geistesambitio-nen, beides zusammen ist unmöglich. Und ich habe mich schon sehr früh für die Geistesam-bitionen entschieden und gegen die Freundin. Einen Freund hatte ich niemals haben wollen von dem Zeitpunkt an, in welchem ich zwan-zig und damit aufeinmal ein selbständiger Denker gewesen bin. Die einzigen Freunde, die ich habe, sind die Toten, die mir ihre Literatur hinterlassen haben, ich habe keine anderen. Und es war mir immer schon schwierig gewesen, überhaupt einen Menschen zu haben, da denke ich gar nicht an ein so von allen mißbrauchtes und unappetitliches Wort wie das Wort Freundschaft. Und schon sehr früh habe ich zeitweise überhaupt keinen Menschen gehabt, alle andern haben einen Menschen gehabt, ich habe keinen gehabt, wenigstens ich wußte, daß ich keinen habe, wenn die andern auch fortwährend behaupteten, ich hätte einen, sagten, du hast einen, wo ich doch durch und durch sicher gewesen war, keinen zu haben und, vielleicht war dieser Gedanke der entscheidende, der vernichtendste, keinen zu brauchen. Ich bildete mir ein, keinen Menschen zu brauchen, ich bilde mir das noch heute ein. Ich brauchte keinen und also hatte ich keinen. Aber naturgemäß brauchen wir einen Menschen, sonst werden wir unweigerlich so, wie ich geworden bin: mühselig, unerträglich, krank, in des Wortes allertiefster Bedeutung unmöglich. Ich glaubte immer nur vollkommen allein, ohne irgendeinen Menschen meine Geistesarbeit verrichten zu können, was sich als Irrtum herausstellen mußte, aber auch, daß wir tatsächlich einen brauchen, ist wieder ein Irrtum, wir brauchen einen Menschen dazu und wir brauchen keinen und einmal brauchen wir einen und einmal brauchen wir keinen und einmal brauchen wir einen und brauchen gleichzeitig keinen, diese absurdeste aller Tatsachen ist mir jetzt, in diesen Tagen, wieder bewußt geworden; wir wissen nie und nicht, brauchen wir einen oder brauchen wir keinen oder brauchen wir gleichzeitig einen und keinen und weil wir nie und niemals wissen, was wir tatsächlich brauchen, sind wir unglücklich und dadurch unfähig, eine Geistesarbeit dann anzufangen, wann wir es wollen, wann es uns richtig erscheint. Ich habe ja *inständig* geglaubt, ich brauche meine Schwester, um die Arbeit über Mendelssohn Bartholdy anfangen zu können, als sie dann da war, wußte ich, ich brauche sie nicht, ich kann nur damit anfangen, wenn sie nicht da ist. Aber jetzt ist sie weg und ich kann erst recht nicht mit meiner Arbeit anfangen. Zuerst war der Grund derjenige, daß sie da war, jetzt ist der Grund, daß sie nicht da ist. Einerseits überschätzen wir den Andern, andererseits unterschätzen wir ihn und wir überschätzen fortwährend uns selbst und unterschätzen uns, und wenn wir uns überschätzen sollten, unterschätzen wir uns, wie wir uns unterschätzen sollen, wenn wir uns überschätzen. Und tatsächlich überschätzen wir vor allem die ganze Zeit das, was wir vorhaben, denn in Wahrheit wird jede Geistesarbeit wie jede andere Arbeit, maßlos überschätzt und es gibt keine Geistesarbeit auf der Welt, auf welche diese alles in allem überschätzte Welt nicht verzichten könnte, wie es keinen Menschen und also keinen Geist gibt, auf den in dieser Welt nicht zu verzichten wäre, wie überhaupt auf alles zu verzichten wäre, wenn wir den Mut und die Kraft dazu hätten. Wahrscheinlich fehlt es mir an der alleräußersten Konzentration, dachte ich und ich setzte mich in das untere große Zimmer, das meine Schwester fortwährend, solange ich zurückdenken kann, den *Salon* genannt hat, was eine fürchterliche Geschmacklosigkeit ist, denn in einem solchen alten Landhaus hat ein Salon nichts zu suchen. Aber auch diese Bezeichnung für das untere Zimmer paßt zu ihr, sie führt überhaupt allzu oft das Wort Salon im Mund, wenngleich sie selbst in Wien naturgemäß tatsächlich einen Salon hat und tatsächlich einen Salon führt, allein *wie* sie diesen Salon führt, darüber könnte ich eine ganze große Abhandlung schreiben, wenn ich Lust dazu hätte. Ich streckte also, im unteren Zimmer, das von meiner Schwester Salon genannt wird, was mich jedesmal zum Erbrechen reizt, die Beine aus, streckte sie so weit aus als möglich und versuchte, mich auf Mendelssohn Bartholdy zu konzentrieren. Aber natürlich ist es vollkommen falsch, eine solche Arbeit mit: *am dritten Feber achtzehnhundertneun wurde* undsofort, zu beginnen. Ich hasse Bücher oder Schriften, die mit einem Geburtsdatum anfangen. Überhaupt hasse ich Bücher oder Schriften, in welchen biografisch-chronologisch vorgegangen wird, das erscheint mir als die geschmackloseste, gleichzeitig die ungeistigste Methode. Wie fange ich an? Es ist das Einfachste, sagte ich mir und es ist mir unbegreiflich, daß mir dieses Einfachste bis jetzt nicht gelungen ist. Vielleicht habe ich viel zu viel Notizen gemacht? viel zu viel über Mendelssohn Bartholdy aufgeschrieben auf diese Hunderte und Tausende von Zetteln, die sich auf meinem Schreibtisch auftürmen, habe ich mich viel zu viel überhaupt mit Mendelssohn Bartholdy, mit meinem Lieblingskomponisten, beschäftigt? Schon oft hatte ich gedacht, ob ich nicht meine Nachforschungen über Mendelssohn Bartholdy überstrapaziert habe und dadurch jetzt unfähig bin, mit meiner Arbeit über Mendelssohn Bartholdy anzufangen? Ein überstrapaziertes Thema kann auf dem Papier nicht mehr verwirklicht werden, sagte ich mir, ich hatte dafür eine Menge Beweise. Ich will nicht aufzählen, was alles mir nicht gelungen ist, weil ich es in meinem Kopf überstrapaziert habe. Andererseits waren ja gerade über Mendelssohn Bartholdy solche jahrelangen, wenn nicht jahrzehntelangen Nachforschungen notwendig. Wenn ich sage, ich habe die ganze Schrift oder was immer für ein Werk im Kopf, kann ich es naturgemäß auf dem Papier nicht mehr verwirklichen. So ist es. Ist es so mit Mendelssohn Bartholdy? Der Gedanke machte mich beinahe verrückt, ja schon wahnsinnig, daß ich möglicherweise das Thema überstrapaziert habe und es mir dann auch nichts nützt, einerseits sozusagen als rettender Engel meine Schwester herbeizutelegrafieren, andererseits sie aus dem Haus zu werfen undsofort. Zwei Wochen war ich in Hamburg gewesen, zwei Wochen in London, und in Venedig merkwürdigerweise, habe ich die interessantesten Dokumente über Mendelssohn Bartholdy gefunden. Damit ich am besten geschützt bin, hatte ich mich schon gleich in das Bauer-Grünwald zurückgezogen, in ein Zimmer mit dem Blick über die roten Ziegeldächer weg auf die Markuskirche und habe die mir aus dem erzbischöflichen Palais geliehenen Dokumente studiert. In Turin hatte ich von Mendelssohn Bartholdy eigenhändig geschriebene Blätter über Carl Friedrich Zelter gefunden und in Florenz einen ganzen Stoß von Briefen, die Mendelssohn an seine Cecíle geschrieben hat. Von allen diesen Schriften und Dokumenten hatte ich mir selbst Kopien gemacht oder herstellen lassen und sie dann nach Peiskam befördert. Aber diese Forschungsreisen Mendelssohn Bartholdy betreffend, liegen viele Jahre zurück, einige schon über ein Jahrzehnt. In einer eigens nur für diese Mendelssohn Bartholdy betreffenden Schriften und Dokumente eingerichteten Kammer hatte ich schließlich alle diese Schriften und Dokumente katalogisiert und mich oft wochenlang nur in dieser Kammer (über dem grünen Ersterstockzimmer!) aufgehalten. Es dauerte nicht lange und meine Schwester taufte die Kammer auf Mendelssohnkammer. Zuerst, denke ich, hatte sie tatsächlich voller Hochachtung und Ehrerbietung von dieser Mendelssohnkammer gesprochen, schließlich aber doch mehr spöttisch, höhnisch, mich verletzend. Erst nach Jahren hatte ich angefangen, verschiedene mir dafür wichtig erscheinende Schriften aus der Mendelssohnkammer heraus und auf meinen Schreibtisch zu transportieren, immer in dem Glauben und in der Hoffnung, der Zeitpunkt, in welchem ich mit meiner Arbeit anfangen kann, sei nicht mehr weit. Aber ich hatte geirrt. Meine Vorbereitungen dauern jetzt schon jahrelang, wie gesagt, über ein Jahrzehnt. Vielleicht, so denke ich, hätte ich meine Vorbereitungen durch nichts unterbrechen dürfen, nichts über Schönberg in Angriff nehmen, nichts über Reger, die Nietzsche-Skizze niemals auch nur in Betracht ziehen, alle diese Abweichungen vom Thema hatten mich letztenendes anstatt für Mendelssohn reif zu machen, immer noch weiter von Mendelssohn abgebracht. Und wenn wenigstens diese Themen, die ich ja gar nicht mehr alle aufzählen kann, etwas gebracht hätten, sie haben mir aber immer wieder nur gezeigt, wie schwer es ist, eine Geistesarbeit überhaupt zustande zu bringen, und sei es die kürzeste, scheinbar nebensächlichste, wobei es selbstverständlich ist, daß es überhaupt keine nebensächliche Geistesarbeit geben kann, nicht in meinem Verstande. Im Grunde waren alle diese Versuche mit Schönberg, Reger etcetera, nichts anders als Ablenkungen von meinem Hauptthema gewesen, die außerdem, was mich total schwächen mußte, sämtlich mißglückt sind. Und es ist gut, daß ich sie alle vernichtet habe, diese Versuche, die letztenendes in ihren Ansätzen steckengeblieben sind und an deren Veröffentlichung, wenn ich eine solche gemacht hätte, ich heute wahrscheinlich zutiefst verletzt wäre. Aber ich habe immer ein gutes Gefühl dafür gehabt, was zu veröffentlichen ist und was nicht, wobei ich den Gedanken, daß Veröffentlichen überhaupt ein Unsinn, wenn nicht gar ein Geistesverbrechen oder besser, ein Kapitalverbrechen am Geiste ist, immer gehabt habe. Wir veröffentlichen ja nur, um unsere Ruhmsucht zu befriedigen, aus keinem andern Grund, wenn nicht aus dem noch viel niederträchtigeren Grunde der Geldbeschaffung, welcher aber durch die Umstände, in welche ich hineingeboren worden bin, bei mir ausscheidet, gottseidank! Hätte ich meinen Aufsatz über Schönberg veröffentlicht, ich getraute mich nicht mehr auf die Straße, auch wenn ich die Schrift über Nietzsche, wenngleich sie *nicht völlig* mißlungen ist, herausgeben hätte. Jede Veröffentlichung ist eine Dummheit und der Beweis für einen schlechten Charakterzug. Den Geist herauszugeben, ist das schändlichste aller Verbrechen und ich habe mich nicht gescheut, mehrere Male dieses schändlichste aller Verbrechen zu begehen. Es war ja nicht einmal nur der plumpe Mitteilungsdrang gewesen, denn niemals wollte ich mich ja irgendjemandem mitteilen, dazu hatte ich gar keine Beziehung, es war die reine Ruhmsucht, nichts sonst. Wie gut es ist, Nietzsche und Schönberg, ganz zu schweigen von Reger, nicht herausgegeben zu haben, ich verziehe mir nicht. Ekelt es mich schon vor allen anderen Tausenden und Hunderttausenden von Veröffentlichungen, so ekelte es mich vor den eigenen auf die grauenhafteste Weise. Aber wir entkommen der Eitelkeit nicht, der Ruhmsucht, wir gehen, wie wenn wir es notwendig hätten, mit hocherhobenem Kopf in sie hinein, obwohl wir wissen, daß unsere Handlungsweise eine unverzeihliche und perverse ist. Und wie steht es mit meiner Arbeit über Mendelssohn Bartholdy?, ich schreibe sie doch nicht, um sie nur für mich allein zu schreiben und sie dann, wenn sie fertig ist, liegenzulassen. Ich habe naturgemäß die Absicht, sie zu veröffentlichen, herauszugeben mit allen Konsequenzen. Denn ich glaube tatsächlich, daß diese Schrift jene ist, von welcher ich sagen kann, daß sie meine gelungenste oder besser noch, die am wenigsten mißlungene ist. Ich denke sehr wohl an ihre Veröffentlichung! Aber bevor ich sie veröffentlichen kann, muß ich sie schreiben, dachte ich und ich bin bei diesem Gedanken in Gelächter ausgebrochen, in eines jener von mir so genannten Selbstgelächter, die ich mir im Laufe der Jahre durch das fortwährende Alleinsein angewöhnt habe. Ja, du mußt die Schrift erst schreiben, um sie veröffentlichen zu können! rief ich aus und belustigte mich an diesem Ausruf. Tatsächlich hatte ich mich durch dieses urplötzliche Gelächter über mich selbst aus meiner Verkrampfung gelöst und ich war aus dem Sessel aufgesprungen und zum Fenster. Aber ich sah nichts. Dicker Nebel klebte an den Scheiben. Ich stützte mich auf die Fensterbank und versuchte, durch fortgesetzte Konzentration darauf, die Mauer auf der anderen Seite des Hofes auszumachen, aber selbst in der äußersten Konzentration darauf, gelang es mir nicht, die Mauer zu erkennen. Nur zwanzig Meter und ich sehe die Mauer nicht! Allein in einem solchen Nebel zu existieren, ist Wahnsinn! In einem solchen alles und jedes tausendfach erschwerenden Klima! Es war, wie immer um diese Jahreszeit, bedrückend. Ich klopfte kurz mit dem rechten Zeigefinger an die Scheibe, um vielleicht einen Vogel draußen aufzuschrecken, aber es rührte sich nichts. So wie ich mit dem Zeigefinger ans Fenster getippt habe, tippte ich mir jetzt an den Kopf und ließ mich dann wieder in den Sessel fallen. In zehn Jahren *nicht eine gelungene Arbeit!* dachte ich.

Naturgemäß bin ich dadurch unglaubwürdig geworden. Meine Schwester verbreitet in ganz Wien und gerade dort, wo es die größte verheerende Wirkung für mich hat, daß ich ein Versager bin. Andauernd höre ich sie zu allen möglichen Leuten sagen: *mein kleiner Bruder und sein Mendelssohn Bartholdy.* Ungeniert nennt sie mich einen Verrückten vor jedermann. Einen, der im Kopf nicht mehr ganz beieinander ist, ich weiß, daß sie so über mich redet und einen mir ungemein schädlichen Ruf von mir verbreitet. Sie schreckt ja vor nichts zurück, um zu Geld zu kommen, also ihre Geschäfte zu machen und um ihre Gesellschaften nicht zu stören, würde sie mich alles nennen. Sie ist skrupellos. Und sie kann gemein sein. Andererseits, ich habe sie immer geliebt, mit allen ihren Fürchterlichkeiten. Geliebt und gehaßt und einmal liebte ich sie mehr, als ich sie haßte und umgekehrt, aber die meiste Zeit habe ich sie gehaßt, weil sie immer gegen mich gehandelt hat, bei vollem Bewußtsein und das heißt, bei klarem Verstand, der ihr niemals abzusprechen gewesen ist. Sie ist immer der reale Mensch gewesen, wie ich der phantastische. *Ich liebe dich, weil du so phantastisch bist*, sagt sie öfter, aber es ist mehr Verachtung in dieser Bemerkung als das Gegenteil. Bei einem Menschen wie sie, ist es doch nur die Verlogenheit, wenn sie sagt, ich liebe dich. Oder bin *ich* der Schauerliche? Zu ihrem Mann hat sie so lange *ich liebe dich* gesagt, bis der es nicht mehr ausgehalten hat und verschwunden ist. Nach Peru, tatsächlich ans Ende der Welt von hier aus gesehen, aus welchem er nicht mehr zurückgekommen ist. Die betrogenen und belogenen und zum Narren gemachten Ehemänner flüchten seit Jahrhunderten nach Südamerika, um nicht mehr zurückzukommen, diese Tatsache hat Tradition. *Ich bin ein Mensch für Liebhaber,* so meine Schwester. Ich war schon immer ungeeignet für die Ehe. Einen Mann ein Leben lang um den Hals zu haben, das war mir als Gedanke allein widerwärtig, so sie. Ich weiß nicht, warum ich schließlich doch geheiratet habe. Vielleicht den Eltern zuliebe? sagte sie. Das von ihrer Ehe zurückgebliebene Geschäft, in welchem es ausschließlich um die ausgedehntesten und erlesensten Millionenbesitzungen Österreichs ging und geht, hat sie, nachdem ihr Mann sie verlassen hat, in einen Zustand versetzt, den die einen, die Seriösen, als abstoßend, die andern aber als unerhört geglückt bezeichnen. Ich selbst gehöre durchaus zu den ersten, ob das richtig ist oder nicht, für mich ist das Leben, das meine Schwester jetzt führt, beschämend, tatsächlich nurmehr noch auf Profit aufgebaut. Am Jahresende eine Millionenspende an die Caritas, von welcher sie selbst befriedigt in den Zeitungen lesen kann und worüber sie sich wochenlang totlachen kann, wie sie selber sagt, das stößt mich ab. Ein ihr von einem plötzlich an Nierenversagen verstorbenen alten Fürsten Ruspoli, den sie einmal in Rom kennengelernt hat und mit welchem sie jahrzehntelang nicht nur Feste gefeiert und korrespondiert hat und von welchem sie behauptete, daß er mit ihr verwandt sei, zugefallenen Palast in der Nähe von Siena, in welchem allerdings schon jahrzehntelang die Ratten das Regiment führten, hat sie vor zwei Jahren der Kirche für ein Altersheim vermacht, an dessen Ausbau sie sich mit zwei Millionen Schilling beteiligte. Als ich sie fragte, ob sie nicht nach Italien fahren und sich den fertiggestellten Palast anschauen wolle, sagte sie glatt nein, es interessiere sie nicht. Sie habe im Grunde nichts übrig für alte Gebäude. Für alte Menschen ja, sagte sie höhnisch, aber nichts für alte Gebäude. Ich muß mich mit der Kirche gutstellen, mein kleiner Bruder, sagte sie, ich fand diesen Vorgang und was sie dazu zu sagen hatte, in höchstem Maße widerwärtig. Aber so ist sie. Immer kreuzt sie mit irgendwelchen

Gecken auf, die nur von Nagy geschusterte
und auch noch, wie wir sagen, geeiselte Schuhe
anhaben und allein dadurch schon einen abstoßenden unnatürlichen Gang haben und behauptet, diese Leute seien mit ihr und also
auch mit mir verwandt. Ich habe keine Ver-
wandtschaft, habe ich immer wieder zu ihr gesagt, ich habe nur eine Geistesverwandtschaft,
die toten Philosophen sind meine Verwandten.
Darauf hatte sie, wie immer, ihr hinterhältiges
Lächeln. Aber mit der Philosophie kannst du
dich nicht ins Bett legen, mein kleiner Bruder,
sagte sie oft, worauf ich genauso oft erwiderte,
selbstverständlich kann ich das, ich be-
schmutze mich dabei wenigstens nicht. Diese
Bemerkung hatte dazu geführt, daß sie einmal
in meiner Gegenwart, in einer Gesellschaft in
Mürzzuschlag, wo sie mich nach pausenlosen
Überredungen hingeschleppt hatte, über mich
gesagt hat: mein kleiner Bruder schläft mit
Schopenhauer. Abwechselnd mit Schopenhauer und mit Nietzsche, worauf sie naturgemäß den erwarteten Erfolg hatte, wie immer,
auf meine Kosten. Im Grunde bewunderte
ich aber zeitlebens die Leichtigkeit, mit welcher meine Schwester eine Konversation zu
führen imstande ist, auch heute noch oder mit
Sicherheit heute noch mit einer viel größeren

Souveränität, entledigt sie sich der schwierig-
sten gesellschaftlichen Hindernisse, wenn es
für sie solche gesellschaftlichen Hindernisse
überhaupt gibt. Woher sie ihr Talent hat, weiß
ich nicht, denn unser Vater war an Gesellschaft
überhaupt nicht interessiert und unsere Mutter
liebte das ganze gesellschaftliche Getue, wie
unsere Mutter selbst immer sagte, nicht. Den
Geschäftsgeist, der meine Schwester wie nichts
sonst auszeichnet und von welchem niemand,
der sie nicht so wie ich kennt, etwas ahnt, hat
sie von unserem Großvater väterlicherseits,
der auch derjenige gewesen war, der unser
Vermögen zusammengebracht hat, durch die
kuriosesten Umstände, aber immerhin und
ganz gleich, auf welche Weise, soviel, daß wir,
meine Schwester und ich, noch in der dritten
Generation genug zum Existieren haben und
wir beide existieren, alles in allem betrachtet,
nicht auf das bescheidenste. Denn lebe ich
auch in Peiskam allein, gebe ich doch soviel
Geld aus, wie andere große Familien nicht zur
Verfügung haben im Monat, denn, nur um ein
Beispiel zu nennen, wer heizt schon den ganzen Winter über neun Zimmer und nicht zu
kleine, nur für sich allein undsofort. Tatsächlich und selbst wenn ich in Betracht ziehe, daß
ich der Unfähigste in allen sogenannten Geld-

angelegenheiten bin, könnte ich noch zwanzig Jahre leben, ohne einen Groschen verdienen zu müssen und dann bliebe mir immer noch die Möglichkeit, nach und nach eine Parzelle nach der andern, ohne das Grundstück wesentlich in Mitleidenschaft zu ziehen und dadurch zu entwerten, zu verkaufen, was ich überhaupt nicht notwendig habe und was im Hinblick auf die Tatsache, daß ich ja nur noch die kürzeste Zeit zu leben habe infolge meiner unaufhörlich und unaufhaltsam fortschreitenden Krankheit, höchstens ein, zwei Jahre, nicht mehr und nicht länger, zu welchem Zeitpunkt dann auch mein Bedürfnis an Leben und Existenz, was immer auf dieser Welt, tatsächlich vollkommen verbraucht sein dürfte, absurd ist. Ich könnte ja, wenn ich wollte, mich selbst als wohlhabend bezeichnen zum Unterschied von meiner Schwester, die tatsächlich reich ist, denn ihr Reichtum, den man sieht, ist bei weitem nicht der ganze, aber ich unterscheide mich von ihr beispielsweise ganz deutlich in dem schon einmal erwähnten Punkt: sie spendet, um in den Himmel zu kommen und sich zu amüsieren, Millionenbeträge an die Kirche und andere solcher zweifelhafter Vereinigungen, während ich überhaupt nichts spende und nicht den geringsten Gedanken daran verschwende, etwas zu spenden in einer Welt, die in Milliarden erstickt und Caritas heuchelt, wo nur die geringste Möglichkeit dazu besteht. Ich habe aber auch nicht die Lust, mich durch eine Spende an die Caritas beispielsweise, wochenlang zu amüsieren oder die Gabe, mich an den Zeitungsmitteilungen über meine Großzügigkeit und Nächstenliebe zu ergötzen, weil ich weder an die Großzügigkeit, noch an die Nächstenliebe glaube. Die sogenannte gute Welt ist durch und durch eine geheuchelte und wer das Gegenteil verkündet und sogar noch behauptet, ist ein raffinierter Menschentreter oder ein unverzeihlicher Dummkopf. Wir haben es heute zu neunzig Prozent mit solchen raffinierten Menschentretern und mit zehn Prozent solcher unverzeihlicher Dummköpfe zu tun. Weder den einen, noch den andern ist zu helfen. Die Kirche, weil es mir dazupaßt, nützt beide aus, gleich welche Kirche, aber die katholische kenne ich zu gut, um ihr irgendeinen denkbaren Nachlaß zu gewähren, sie ist die raffinierteste von allen und beutet, wo sie kann, aus und das meiste Geld holt sie sich von den Armen und Ärmsten. Aber auch diesen Armen und Ärmsten kann nicht geholfen werden, die Lüge, man könne das, ist die weitverbreitetste und vor allem die Politiker führen sie

im Mund. Die Armut ist unausrottbar und wer
daran denkt, sie auszurotten, der hat nichts anderes vor, als daß er die Menschen an sich und
also tatsächlich auch die Natur an sich ausrot-
tet. Je größer und je höher die Spenden sind,
die meine gewiegte Schwester verteilt, desto
größer und infernalischer ist auch ihr Gelächter darüber, wer es jemals in Zusammenhang
mit einer ihrer Spenden gehört hat, weiß,
worum sich die Welt dreht. Ich habe es so oft
gehört, daß ich es gar nicht mehr hören will.
Die Menschen reden andauernd davon, daß
sie zu den andern und, wie sie mit der ganzen
Niedertracht falscher Gefühle auch noch
fortwährend sagen, zum Nächsten finden
sollen, wo es doch einzig und allein darum
geht, zu sich selbst zu finden, jeder finde zuerst zu sich selbst und da bis jetzt kaum noch
einer zu sich selbst gefunden hat, ist es auch
unvorstellbar, daß irgendeiner von diesen Milliarden von Unglücklichen jemals zu einem
Andern oder, wie sie triefend vor Selbstbetrug
sagen, zu einem Nächsten gefunden hat. Die
Welt ist so reich, daß sie sich tatsächlich alles
leisten kann, nur verhindern das bei vollem Bewußtsein die Politiker, die diese Welt beherrschen. Sie schreien um Hilfe, und werfen tagtäglich Milliarden allein für Waffen zum Fenster

hinaus und schämen sich nicht. Nein, dieser Welt auch nur irgendeinen Groschen zu geben, weigere ich mich entschieden, denn ich bin auch nicht von dieser gefinkelten Sucht nach Dankbarkeit, wie meine Schwester. Jene Leute, die andauernd sagen, sie seien zu jedem Opfer bereit und sie opferten pausenlos alles, schließlich ihr Leben undsofort, jene Heiligen, die sich zu ihrem Opfertum und zu ihrer Opferbereitschaft wie die Schweine an den Trog drängen und welche es in allen Ländern und Erdteilen gibt, sie mögen alle möglichen und unmöglichen Namen tragen, sie mögen Albert Schweizer heißen oder Mutter Teresa, sie sind mir zutiefst zuwider. Nichts anderes haben diese Leute im Sinn, als sich auf Kosten derer, die sie angeblich so gut versorgen und die nach ihnen mit ausgestreckten hilfesuchenden Händen schreien, mit Ruhmesblättern überschütten und mit Orden überhäufen zu lassen. Diese gefährlichen, wie keine andern selbstgierigen und selbstherrlichen, im Grunde bis tief hinein in ihre seelischen Zentren machtgierigen Leute, die zwischen dem Heiligen Franz von Assisi bis zur Mutter Teresa in die Millionen gehen, und die sich in unzähligen von religiösen und politischen Vereinen auf der ganzen Welt tagaus, tagein nur in ihrer eigenen Ruhmsucht tummeln, verabscheue ich zutiefst. Das sogenannte soziale Element, von welchem ununterbrochen und bis zum Überdruß geredet wird seit Jahrhunderten, ist die gemeinste Lüge. Ihr verweigere ich mich, selbst auf die Gefahr, mißverstanden zu werden, was mir, ehrlich gesagt, immer schon gleichgültig gewesen ist. Meine Schwester veranstaltet mit anderen sogenannten Damen aus der sogenannten gehobenen und höchsten Gesellschaft einen Bazar und stiftet zu den Einnahmen aus diesem Bazar, zu welchem ununterbrochen auch noch das Christkind aus einem fürchterlichen Lautsprecher zu krächzen hat, fünfhunderttausend Schilling und ist sich nicht zu dumm, mir zu erklären, sie meinte es mit den Ärmsten der Armen gut. Aber sie erkannte sehr bald, auch oder gerade weil ich zu ihrem heuchlerischen Unternehmen schwieg, daß ich sie durchschaut hatte. Dafür genießt sie es, daß ihr der Monsignore und Präsident der Caritas, doch nichts als ein alter Partyfuchs, galant die Hand küßt. Mich würde es vor der Hand dieses Herrn grausen. Vor fünfzehn oder sechzehn Jahren schon, als ich selbst zu diesem Herrn noch einen, wenn auch sehr dürftigen Kontakt hatte, bat er, der Kunst- und Feinsinn, meine Schwester, sie möge ihm für den ihr in die Hand gegebenen Betrag von achthunderttausend Schilling eine Wohnung auf dem Schottenring einrichten, was meine Schwester auch getan hat; mit lauter Renaissancemöbeln aus Florenz und josefinischen Kostbarkeiten aus zwei ihr in die Hände gefallenen Marchfeldschlössern richtete sie dem Monsignore die Wohnung ein. Als sie damit fertig gewesen war, gab sie für ihn eine Gesellschaft für fünfzig ausgewählte Personen, unter welchen der niedrigste ein irländischer Graf war, den sie nur deshalb zusammen mit dem Monsignore für diesen Abend ausgesucht hatte, weil er im Besitz einer Zwirnfabrik an der Grenze zwischen Niederösterreich und dem Burgenland war, die sie unter allen Umständen an sich hatte bringen wollen, was ihr, wie ich weiß, auch gelungen ist, meiner Schwester gelingt auf diesem Gebiete alles. Für achthunderttausend Schilling, die zweifellos aus Kirchenbeitragsgeldern stammten, richtete meine Schwester dem Monsignore die Wohnung auf dem Schottenring ein, auf einer der besten Adressen und tatsächlich hatte ich meiner Schwester auf den Kopf zu gesagt, daß sie dem Monsignore mit Kirchengeldern die Wohnung eingerichtet hat, um achthunderttausend Schilling, das wären heute sechs oder sieben Millionen. Man stelle sich das einmal vor: der Monsignore richtet sich eine Wohnung um achthunderttausend Schilling ein und wirbt gleichzeitig im Rundfunk in einer weinerlichen, bis in die kleinsten Details auf das Betrügerische hin ausgerichteten Sprache, seine Caritasbettelei an die Ärmsten der Armen. Ob sie sich nicht schämte, wollte ich wissen, meine Schwester schämte sich aber nicht, dazu war sie, wie sie selbst sagen würde, zu intelligent und sagte nur: vierhunderttausend sind von mir. Der Monsignore hat nur vierhunderttausend gezahlt. Mich widerte dieser Vorgang an. Aber er ist bezeichnend für die sogenannte Oberschicht, der für immer und ewig anzugehören für meine Schwester zeitlebens der höchste aller Lebenszwecke gewesen ist. Ein Graf mußte schon sehr charmant sein und unendlich viel Geld haben, damit sie sich überhaupt auf eine längere Unterhaltung mit ihm einließ, erst bei den Fürsten fing bei ihr die Normalität an, woher sie diesen fürchterlichen Wahn hat, weiß ich nicht. Ob ein solcher Mensch überhaupt noch das geringste mit der Natur zu tun hat, habe ich mich oft gefragt. Andererseits schlägt jede meiner auf sie gerichteten Betrachtungen irgendwann und zwar von einem Augenblick auf den andern, in Bewunderung um. Der kleine Bruder ist einem solchen strahlenden Menschen, wie sie sich selbst sehr oft bezeichnet, gegenüber machtlos. Ihr Auftreten verändert jeden Raum, alles, gleich wo und wann sie auftritt, ist alles verwandelt, gleichzeitig nur ihr allein untergeordnet. Dabei ist sie nicht eigentlich schön, ich habe mich oft gefragt, ist sie schön, ist sie es nicht, ich kann nicht sagen, sie ist schön, sie ist es nicht, sie ist anders als alle andern und hat die Fähigkeit, alle um sie herum, wenn nicht auszulöschen, so doch wenigstens in den Hintergrund, in den Schatten zu drängen. Sie ist also das genaue Gegenteil von mir, der ich zeitlebens unscheinbar gewesen bin. Nicht bescheiden, das wäre das verkehrteste Wort, aber unscheinbar und dazu auch noch fortwährend und im Grunde immer zurückhaltend. Dadurch hatte ich mich mit der Zeit selbst liquidiert, könnte ich sagen, ich sage es, weil es wahr ist. Es ist deine Tragödie, mein kleiner Bruder, daß du dich immer im Hintergrund hältst, sagt sie sehr oft. Andererseits hat sie einmal gesagt, es sei ihre Tragödie, daß sie immer den Vordergrund aufsuchen muß, ob sie will oder nicht, man drängt sie in diesen Vordergrund, wo immer, in welcher Situation immer. Es ist niemals dumm, was sie sagt, weil es in jedem Falle immer viel gescheiter ist als das, das die andern sagen, aber es ist doch so vieles, das sie sagt, falsch. Manchmal, nicht nur manchmal, immer würde ich am liebsten aufheulen über den Unsinn, mit welchem sie zweifellos überall die höchste Bewunderung hervorruft. Naturgemäß geht sie in die Oper und sie läßt keine Wagneroper aus, mit einer Ausnahme, in den *Fliegenden Holländer* geht sie nicht, weil, nach ihren eigenen Wörtern, der Fliegende Holländer keine Wagneroper ist. Und sie meint tatsächlich, wie so viele, damit recht zu haben. Die Kleider, die sie bei diesen Gelegenheiten trägt, sind die allereinfachsten, noch viel einfacher als das einfachste, aber doch ist es immer dasjenige, das die größte Aufmerksamkeit auf sich zieht. Weißt du, die Oper ist für meine Geschäfte das Allerwichtigste, sagt sie immer wieder. Die Leute sind ganz verrückt von der Musik, die sie gar nicht verstehen und kaufen mir meine Ladenhüter ab. Unter ›meine Ladenhüter‹ versteht sie Güter nicht unter tausend Hektar. Oder von ihr so genannte *Ersterbezirkobjekte*, an welchen am allermeisten kurzfristig zu verdienen ist. Und tatsächlich ist es ein Vergnügen, ihr bei den Mahlzeiten zuzuschauen. Alle um sie herum sind aufeinmal, wenn schon nicht ordinär, so

doch von der ihr in jedem Falle unterlegenen
Art und Weise, zum Beispiel, wie sie die Suppe
ißt oder den Salat etcetera. Es müßte schon
eine sogenannte uralte Dame aus dem aller-
besten Stall sein, die es tatsächlich mit ihr auf-
nehmen kann. Aber wie entsetzlich, fortwährend der Mittelpunkt und niemals aus den Augen gelassen zu sein, ich kann es nur nachemp-
finden, aber es ist sicherlich fürchterlicher, als
ich es mir vorstellen kann. Ich habe immer die
Gabe gehabt, mehr oder weniger unbeobachtet
zu sein, auch in der größten Gesellschaft mehr
oder weniger mit mir allein zu sein und war
dadurch immer in dem Vorteil gewesen, meinen Intentionen, meinen Phantasien und Gedanken nachzugehen wie ich wollte. Die meinige war also für mich durchaus immer die
vorteilhaftere, immer nützlichere Haltung in
Gesellschaft gewesen, gerade diejenige, die zu
mir paßte, im Gegenteil zu der, die zu meiner
Schwester paßt. Und immer ist es, wo und
wann immer sie auftritt und der Mittelpunkt
ist, als sei sie von der größten nur denkbaren
Natürlichkeit, wirklich alles ist natürlich an
ihr, alles was sie tut, alles was sie sagt, sowie
alles, das sie nicht sagt und verschweigt, man
könnte glauben, es gäbe überhaupt kein natür-
licheres Wesen als meine Schwester. Als

brauchte sie sich über nichts und schon gar nichts Gedanken zu machen. Aber das ist genauso natürlich ein Irrtum, ich weiß, wie abgekartet alles ist, das sie unternimmt, wie vorbereitet, was sie schließlich vor allen diesen Leuten auftischt. Auf das Natürlichste gibt sie, obwohl es naturgemäß gar nicht wahr ist, allen diesen Leuten fortwährend zu verstehen, daß sie, wenn schon nicht alles, so doch das meiste gelesen hat, daß sie, wenn schon nicht alles, das meiste gesehen hat, daß sie, wenn schon nicht alle, so doch die meisten wichtigen und berühmten Leute auf die es ankommt, kennengelernt hat und gut kennt. Und sie gibt es zu verstehen, ohne jemals etwas derartiges auszusprechen. Obwohl sie überhaupt nichts versteht von Musik, ja nicht einmal ein oberflächliches Verständnis für die Musik ihr eigen ist, glauben doch alle Leute, sie verstünde sehr viel von Musik und so ist es mit der Literatur, ja selbst mit der Philosophie. Wo andere sich fortwährend anzustrengen haben, um mitzuhalten, braucht sie sich überhaupt um nichts zu kümmern, es kommt alles, wie sie es will, ganz von selbst. Natürlich ist sie sozusagen gebildet, aber das alles ist doch nur oberflächlich, natürlich weiß sie sehr viel, mehr als die meisten, mit welchen sie verkehrt, aber doch nur auf das

Oberflächlichste, aber niemand merkt das. Wo die andern fortwährend überzeugen müssen, um nicht unterzugehen und sich lächerlich zu machen und abzusacken, schweigt sie ganz einfach und trägt ihren Triumph davon, oder sagt etwas, das genau in dem richtigen Augenblick gesagt ist, woraus sich dann folgerichtig ergibt, daß sie die Szene beherrscht. Ich habe meine Schwester niemals in einer Niederlage gesehen. Umgekehrt hat sie sehr oft miterlebt, wie ich in irgendeinem ja tatsächlich lächerlichen Punkt versagt habe. Wir sind so verschiedene entgegengesetzte Charaktere wie nur denkbar. Wahrscheinlich beziehen wir gerade daraus unsere Spannung. Ich rede nie von Geld und habe es, sagte sie einmal, du redest nie von Philosophie und hast sie. Der Satz beweist, wo wir beide stehen und möglicherweise, wie ich fürchte, zum Stillstand gekommen sind. Überall im Haus sind noch die Spuren meiner Schwester, wohin immer mein Blick fällt, da war sie, das hat sie verrückt, das hat sie liegengelassen, dieses Fenster hat sie nicht so geschlossen, wie es sich gehörte, alle diese herumstehenden, nur halb ausgetrunkenen Gläser hat sie stehenlassen. Und ich denke nicht daran, alles das wieder in Ordnung zu bringen, was sie in Unordnung gebracht hat. Auf ihrem

Bett fand ich, wie wütend hingeworfen, Combray von Proust, ich bin sicher, daß sie nicht weit gekommen ist. Aber ich kann auch nicht sagen, daß sie nichts oder nur das Minderwertigste liest, für eine Frau ihres Alters und ihres Standes und überhaupt ihrer Position und Veranlagung, bringt sie es immer wieder auf ein erstaunliches Niveau, was den Lesestoff betrifft. Wer diese Skizzen jemals lesen sollte, wird sich fragen, was dieses fortwährende Bohren meine Schwester betreffend, auf sich hat. Ja, weil mich meine Schwester ganz einfach beherrscht von Kindheit an und, ist sie abgereist, ich immer mehrere Tage brauche, um sie aufzuarbeiten, sie ist zwar physisch abgereist, aber doch überall auf die deutlichste und auf die für mich tatsächlich furchtbarste Weise vorhanden, vor allem war sie das an diesem letzten Abend, wie ich auf das schmerzhafteste fühlte und es mir durch ihre noch immer tatsächlich ungeheuere Anwesenheit gerade weil sie schon abgereist war, immer mehr zur Gewißheit geworden ist, daß ich sie nicht in ein paar Stunden nach ihrer tatsächlichen Abreise aus dem Haus drängen kann, sie läßt sich nicht verdrängen, sie bleibt solange da, wie sie will und sie wollte es an diesem Abend mit ungeheuerer Intensität, *weil* ich sie aus dem Haus haben wollte, *weil* ich am andern Morgen mit meiner Arbeit über Mendelssohn Bartholdy anfangen wollte. Der Narr, der geglaubt hat, tatsächlich schon ein paar Stunden nachdem sie abgereist ist, mit dieser Arbeit anfangen zu können, völlig unvermittelt, bin ich ebenso tatsächlich. Ich habe immer mehrere Tage nach ihrer Abreise gebraucht, um mich von meiner Schwester zu befreien. Ich hoffte dieses eine Mal auf ein besonderes Glück. Aber ich hatte keines. Diese Art von Glück habe ich nie gehabt. Und hat sie nicht vielleicht recht, indem sie sagt, meine Arbeit über Mendelssohn Bartholdy ist nur eine Finte, um meinen absurden Lebenswandel zu rechtfertigen, der, außer daß er etwas schreibt und vollendet, keine andere Rechtfertigung hat. Ich stürzte mich auf Schönberg, um mich zu rechtfertigen, auf Reger, auf Joachim, ja sogar auf Bach, nur um mich zu rechtfertigen, wie ich mich jetzt auf Mendelssohn stürze zu demselben Zweck. Im Grunde habe ich überhaupt kein Anrecht auf meine Art von Lebenswandel, der tatsächlich so einmalig wie kostspielig und genauso fürchterlich ist. Andererseits, wem habe ich Rechenschaft abzugeben außer mir selbst? Wenn es mir nur wenigstens in den nächsten Tagen gelänge, mit meiner Mendelssohn Bartholdy-Arbeit anzufangen. *Habe* ich denn die besten Voraussetzungen? Ich habe sie und ich habe sie nicht, einerseits habe ich sie, andererseits habe ich sie nicht, sagte ich mir. Wenn meine Schwester nicht hergekommen wäre, sagte ich mir, andererseits, gerade *weil* sie nach Peiskam gekommen ist. Wir müssen alles hundertprozentig angehen, hat mein Vater immer gesagt, er sagte es zu jedem, zu meiner Mutter, zu meinen Schwestern, zu mir, wenn wir es nicht hundertprozentig angehen, scheitern wir schon, bevor wir überhaupt angefangen haben. Aber was ist in diesem Falle hundertprozentig? Habe ich nicht hundertprozentig auf diese Arbeit hingearbeitet? Vielleicht habe ich zweihundertprozentig darauf hingearbeitet, vielleicht sogar dreihundertprozentig, das wäre dann eine Katastrophe. Aber dieser Gedanke war natürlich unsinnig. Dein Fehler ist, hatte meine Schwester gesagt, daß du dich in deinem Haus vollkommen isolierst, daß du überhaupt keine Freunde mehr aufsuchst, wo wir doch so viele Freunde haben. Sie sagte die Wahrheit. Aber was heißt: Freunde! Wir kennen mehrere, vielleicht sogar viele Leute, einige die noch nicht gestorben oder für immer verzogen sind, noch aus der Kindheit, wir sind jedes Jahr sehr oft hingegangen, sie sind zu uns ins Haus gekommen, aber Freunde sind sie deshalb noch lange nicht. Meine Schwester bezeichnet bald jemanden als Freund, sogar solche Leute, die sie kaum kennt, wenn es in ihre Berechnung paßt. Wenn ich es genau überlege, habe ich überhaupt keinen Freund, ich habe, vom Ende meiner Kindheit an, niemals mehr einen Freund gehabt. Freundschaft, was für ein aussätziges Wort! Die Leute führen es jeden Tag bis zum Überdruß im Mund und es ist vollkommen abgewertet, mindestens so abgewertet wie das zutodegetrampelte Wort Liebe. Dein größter Fehler ist, daß du nicht mehr spazieren gehst, früher bist du stundenlang aus dem Haus gegangen, durch die Wälder, über die Felder, an den See und hast dich wenigstens an deinen eigenen Grundstücken erfreut. Heute gehst du nicht mehr aus dem Haus, das ist das Schädlichste, sagte sie, gerade sie, die überall und bei allen als gehfaul bekannt ist und in den drei Wochen, die sie hier war, nicht ein einzigesmal einen Spaziergang gemacht hat. Aber sie hat natürlich auch nicht die Krankheit, denke ich, die *ich* habe. *Ich* müßte spazieren gehen. Aber nichts langweilt mich mehr. Nichts ödet mich mehr an, legt sich mir qualvoller auf Herz und Lunge, wie Spazierengehen. *Ich bin kein Naturmensch*, ich war nie ein Naturmensch, ich ließ mich niemals zu einem solchen Naturmenschen zwingen. Dann weiten sich deine Lungen, sagte sie höhnisch und trank daraufhin ein ganzes Glas Sherry aus, *Agustin Blasquez* natürlich, der einzige, der ihr gerade teuer genug ist. Sie läßt ihn sich von ihren Liebhabern seit Jahrzehnten aus Spanien bringen, in Wien bekommt man ihn nicht, hier schon gar nicht, in dieser schauerlichen Gegend. Da du nicht katholisch bist, sagte sie lachend, gehst du auch nicht mehr in die Kirche. Also gehst du überhaupt nicht mehr an die frische Luft. So verkommst du und stirbst. Mit Vorliebe hatte sie in letzter Zeit immer wieder zu mir gesagt: *du stirbst.* Das durchbohrte mich jedesmal, obwohl ich mir sage oder wenigstens einrede, daß ich nichts gegen mein Sterben habe. Und ich habe ihr das oft gesagt, was sie wiederum nur eine kindische Koketterie nannte. Freilich wäre es vernünftig, frische Luft einzuatmen, aber jetzt ist ja hier überhaupt keine frische Luft, nur eine teuflische, dicke, stinkende, die außerdem von der Chemie der nahen Papierfabrik völlig vergiftet ist. Und manchmal denke ich, ob nicht die Luft von der Papierfabrik so stark vergiftet ist, daß sie für *mich* tödlich ist, auf die Dauer, daß ich schon jahrzehntelang diese von der Papierfabrik vergiftete Luft einatme, gibt mir aufeinmal zu denken und es gab mir auch an diesem Abend nach der Abreise meiner Schwester zu denken, ob nicht meine Unfähigkeit, meine Arbeit anzufangen, überhaupt meine Krankheit und mein absehbarer Tod auf diese von der Papierfabrik vergiftete Luft zurückzuführen ist. Der Mensch erbt einen Besitz von seinen Eltern und glaubt dann, das ganze Leben auf diesem Besitz sitzenbleiben zu müssen bis er stirbt und er merkt nicht, daß er so früh stirbt, weil die nahe Papierfabrik Tag und Nacht die Luft, die er einatmet, vergiftet. Ich ließ mich aber auf diese Spekulation nicht ein und trat wieder hinaus in das Vorhaus. Beim Anblick jenes Winkels, in welchem wir, wie wir Kinder waren, einen Hund gehalten haben, hatte ich denken müssen, wenn ich mir wenigstens einen Hund halten würde. Aber ich habe Hunde, seit ich erwachsen geworden bin, immer gehaßt. Und wer versorgte einen solchen Hund und wie sollte der Hund aussehen, was für ein Hund sollte das sein? Da müßte ich mir ja gerade nur wegen eines solchen Hundes einen Menschen, der diesen Hund betreut, ins Haus nehmen und ich vertrage keinen Menschen, weder vertrage ich einen Hund, noch einen Menschen. Ich hätte ja längst einen Menschen im Haus, wenn ich einen solchen Menschen aushalten würde, aber ich halte keinen aus, ich halte naturgemäß auch keinen Hund aus. Ich bin nicht auf den Hund gekommen, sagte ich mir und ich werde nicht auf den Hund kommen, ich werde krepieren, aber auf den Hund kommen werde ich nicht. In diesem Winkel, gleich neben der hofseitigen Eingangstür hockte der Hund und wir liebten ihn, aber heute müßte ich ein solches, ständig auf der Lauer liegendes Tier, hassen. Und die Wahrheit ist ja doch, daß ich mein Alleinsein liebe, ich bin ja nicht einsam und ich leide auch nicht darunter, wenn mir das meine Schwester auch fortwährend einzureden versucht, ich leide nicht darunter, ich bin mit meinem Alleinsein glücklich, ich weiß, was ich daran habe, ich beobachte es an den andern, die ein solches Alleinsein nicht haben, sich nicht leisten können, es sich lebenslänglich wünschen, aber nicht haben können. Die Leute haben einen Hund und sind von diesem Hund beherrscht und selbst Schopenhauer ist letztenendes nicht von seinem Kopf, sondern in Wahrheit von seinem Hund beherrscht gewesen. Diese Tatsache ist deprimierender als jede andere. Im Grunde bestimmte nicht der Kopf Schopenhauers dessen Denken, sondern der

Hund Schopenhauers, nicht der Kopf hat Schopenhauers Welt gehaßt, sondern der Hund Schopenhauers. Ich muß nicht wahnsinnig sein, um zu behaupten, Schopenhauer habe einen Hund aufgehabt, keinen Kopf. Die Menschen lieben die Tiere, weil sie nicht einmal zur Selbstliebe fähig sind. Die in der Seele zutiefst Gemeinsten, halten sich Hunde und lassen sich von diesen Hunden tyrannisieren und schließlich kaputtmachen. Sie setzen den Hund an die erste und an die oberste Stelle ihrer letztenendes gemeingefährlichen Heuchelei. Lieber würden sie ihren Hund vor dem Fallbeil retten, als Voltaire. Die Masse ist für den Hund, weil sie in ihrem Innersten nicht einmal die Anstrengung auf sich nehmen will, mit sich allein zu sein, was tatsächlich Seelengröße voraussetzt, ich bin nicht die Masse, ich bin mein Leben lang gegen die Masse gewesen und ich bin nicht für den Hund. Die sogenannte Tierliebe hat schon soviel Unheil angerichtet, daß wir, wenn wir tatsächlich mit der größtmöglichen Intensität daran denken würden, augenblicklich ausgelöscht werden müßten vor Erschrecken. Es ist nicht so absurd, wie es zuerst erscheint, wenn ich sage, die Welt verdankt ihre fürchterlichsten Kriege der sogenannten Tierliebe ihrer Beherrscher. Das ist alles dokumentiert und man solle sich diese Tatsache einmal klarmachen. Diese Leute, Politiker, Diktatoren, sind von einem Hund beherrscht und stürzen dadurch Millionen Menschen ins Unglück und ins Verderben, sie *lieben* einen Hund und zetteln einen Weltkrieg an, in welchem Millionen getötet werden wegen dieses einen Hundes. Man denke nur einmal nach, wie die Welt aussehen würde, wenn man diese sogenannte Tierliebe einmal wenigstens um ein paar lächerliche Prozente einschränken würde zugunsten der Menschenliebe, die naturgemäß auch nur eine sogenannte ist. Die Frage kann gar nicht sein, halte ich mir einen Hund oder halte ich mir keinen Hund, ich bin von meinem Kopf aus gar nicht imstande, mir einen Hund zu halten, der außerdem, wie ich weiß, auf intensivere Weise gepflegt und beachtet werden muß, wie jeder Mensch, mehr gepflegt werden und beachtet werden muß, als ich selbst fordere, aber die Menschheit findet gar nichts dabei, daß sie, alle Erdteile eingeschlossen, die Hunde besser pflegt und vielmehr beachtet, als ihre Mitmenschen, ja sie in allen diesen Milliarden von Hundefällen besser pflegt und mehr beachtet, als sich selbst. Ich erlaube mir, eine solche Welt tatsächlich als eine perverse und in höchstem Grade unmenschliche und total verrückte zu bezeichnen. Bin ich da, ist der Hund auch da, bin ich dort, ist der Hund auch dort. Muß der Hund hinaus, muß ich mit dem Hund hinaus etcetera. Ich dulde die Hundekomödie, die wir tagtäglich, wenn wir die Augen aufmachen und uns noch nicht mit der tagtäglichen Blindheit daran gewöhnt haben, sehen, nicht. In dieser Hundekomödie tritt ein Hund auf, der einen Menschen sekkiert, ausnützt und ihm im Verlaufe mehrerer oder weniger Akte, seine harmlose Menschlichkeit austreibt. Der höchste und der teuerste und tatsächlich kostbarste Grabstein, der jemals in der Geschichte errichtet worden ist, soll einem Hund errichtet worden sein. Nein, nicht in Amerika, wie man annehmen muß, in London. Diese Tatsache sich wieder klar zu machen, genügt, um den Menschen in dem richtigen Hundelicht zu zeigen. Die Frage ist auf dieser Welt ja schon lang nicht, wie menschlich einer ist, sondern wie hündisch, nur wird bis heute da, wo im Grunde, wenn der Wahrheit die Ehre gegeben werden soll, wo eigentlich gesagt werden müßte, wie hündisch ist der Mensch, gesagt, wie menschlich ist er. Und das ist das Abstoßende. Ein Hund kommt nicht in Frage. Wenn du dir wenigstens einen Hund halten würdest, hat meine Schwester unmittelbar bevor sie abgereist ist, gesagt. Nicht zum erstenmal, diese ist eine jener Bemerkungen, mit welchen sie mich seit Jahren aufbringt. Wenigstens einen Hund! Ich brauche ja keinen Hund, ich habe meine Liebhaber, so sie. Einmal hatte sie, aus Eigensinn, wie ich glaube, auf Liebhaber verzichtet, da hatte sie einen Hund, der so klein war, daß er in meiner Phantasie jedenfalls, unter ihren Stöckelschuhen hätte durchkriechen können. Sie liebte das Groteske an dieser Tatsache und ließ dem Hund, der diese Bezeichnung überhaupt nicht verdiente, ein kleines, mit einer Goldborte eingesäumtes Samtwams machen. Im Sacher bestaunte man den Hund, das war ihr so widerwärtig, daß sie das Tier ihrer Haushälterin schenkte, die es ihrerseits weitergab, natürlich. Wie ja meine Schwester immer von allem Ausgefallenen fasziniert ist, aber dann, aus guten Gründen, und weil sie doch einen gehobeneren Verstand hat, dieses Ausgefallene nicht auf die Spitze treibt, soweit, daß es als tatsächlich lächerlich betrachtet werden könnte. Oder eine Reise, sagte sie. Du solltest wegreisen. Wenn du nicht bald wegreist, verkommst du, gehst ein. Ich sehe schon, wie du in einem deiner Winkel zuerst verrückt wirst und dann verkommst. Reisen! Meine Vorliebe früher, meine einzige Leidenschaft. Aber jetzt bin ich ja für jede Reise viel zu schwach, sagte ich mir, es ist nicht einmal daran zu denken, wegzureisen. Und wenn, wohin? Möglicherweise, dachte ich, ist das Meer meine Rettung. Dieser Gedanke setzte sich in mir fest, von diesem Gedanken konnte ich nicht mehr wegkommen. Ich griff mir an den Kopf und sagte: *das Meer!* Ich hatte mein Zauberwort. Wenn wir reisen, werden wir, wenn wir noch so abgestorben sind, wieder lebendig. Aber bin ich denn imstande zu reisen, gleich wohin? Alle meine Reisen, die ich jemals gemacht habe, hatten Wunder gewirkt. Unsere Eltern hatten uns Kinder schon sehr früh auf ihre Reisen mitgenommen und auf diese Weise haben wir schon vor dem zwölften und dreizehnten Jahr viel gesehen. Wir waren in Italien, in Frankreich, wir waren in England und in Holland, wir hatten Polen kennengelernt und Böhmen und Mähren und tatsächlich hatten wir schon mit dreizehn einen Aufenthalt in Nordamerika hinter uns gehabt. Später habe ich, aus eigenem Antrieb und wann immer es mir nur irgend möglich gewesen war, größere Reisen gemacht, ich bin in Persien gewesen, in Ägypten, in Israel, im Libanon. Ich hatte mit meiner Schwester Sizilien bereist und wochenlang in

Taormina verbracht, in dem berühmten Hotel Timeo unter dem griechischen Theater, ich hatte eine zeitlang in Palermo gewohnt, auch in Agrigent, ganz in der Nähe des Hauses, in welchem Pirandello gelebt und geschrieben hat. Ich war mehrere Male in Calabrien und selbstverständlich auf jeder Italienreise in Rom und Neapel gewesen und jedes Frühjahr bin ich mit meinen Eltern und mit meiner Schwester zusammen in Triest und in Abbazia gewesen. Überall hatten wir Verwandte, die wir allerdings immer nur auf das Kürzeste aufgesucht haben, denn so wie ich, haben auch meine Eltern die größte Vorliebe für den Hotelaufenthalt gehabt, sie waren, meine Mutter genauso wie mein Vater, leidenschaftliche Hotelbewohner, in den besten und schönsten fühlten sie sich genauso wie ich mehr zuhause als daheim. Ich darf gar nicht an alle diese herrlichen Paläste denken, in welchen wir Station gemacht haben. Selbst der Krieg hatte uns nicht daran hindern können, zu reisen und *in den besten Häusern abzusteigen,* wie mein Vater sehr oft gesagt hat. Von allen diesen Hotels sind mir das Setteais in Sintra und natürlich das Timeo in der angenehmsten Erinnerung. Als ich nicht lange zurückliegend, meinen Internisten gefragt habe, ob ich an Reisen denken könne, hatte er gesagt *natürlich*, *jederzeit*, aber die Art und Weise, *wie* er dieses *natürlich* gesagt hatte, waren mir unheimlich gewesen. Andererseits sollen wir, gleichwie unser Zustand ist, jederzeit das tun, das wir tun wollen und wenn wir reisen wollen, sollen wir reisen und uns um unseren Zustand, und sei er der schlimmste, nicht kümmern, vor allem, wenn er der schlimmste ist, denn dann sind wir ja, ob wir reisen oder nicht reisen, verloren und es ist besser zu sterben und die gewünschte und wie nichts ersehnte Reise gemacht zu haben, als an diesem Wunsch und an dieser Sehnsucht zu ersticken. Eineinhalb Jahre hatte ich keine Reise mehr gemacht, das letztemal war ich, weil es mir doch der idealste Ort ist, in Palma. Im November, wenn uns der Nebel auf die grausamste Weise unter- und niederdrückt, bin ich im offenen Hemd durch Palma gelaufen und habe tagtäglich auf der berühmten Borne im Schatten der Platanen meinen Kaffee getrunken; und es war mir gerade in Palma möglich gewesen, die entscheidenden Notizen über Reger zu machen, die ich allerdings später verloren habe, ich kann bis heute nicht sagen, wo eine zwei Monate lange Geistesanstrengung durch eine Selbstunvorsichtigkeit zunichte gemacht, unverzeihlich. Wenn ich nur daran denke, auf der Terrasse des Nixe Palace meine Oliven zu essen und mein Glas Wasser zu trinken, während ich ganz in die Beobachtung dieser Leute, die auf dieser Terrasse ihren Wünschen und Ideen anhängen wie ich, nicht versunken, sondern vernarrt bin! Wir merken oft nicht, daß wir uns von dem Punkt, auf dem wir fest kleben, ganz einfach mit aller Gewalt von einem Augenblick auf den andern abreißen müssen, um weiterexistieren zu können. Meine Schwester hat recht, immerfort das Wort Reise im Mund zu führen in meiner Gegenwart, sie peitscht mir das Wort Reise ja ununterbrochen ein, sage ich mir, sie sagt nicht nur alle Augenblicke beiläufig das Wort Reise, sie verfolgt diesen bestimmten Zweck meiner Existenzerrettung. Der Betrachter durchschaut einen Menschen, den er betrachtet, naturgemäß rücksichtsloser und authentischer als der Betrachtete sich selbst, sagte ich mir. Es gibt so viele herrliche Städte auf der Welt, Landschaften, Küsten, die ich in meinem Leben gesehen habe, aber keine von diesen allen ist für mich jemals so ideal gewesen wie Palma. Aber was, wenn ich dann in Palma einen meiner gefürchteten Anfälle bekomme, wenn ich ohne *tatsächliche* ärztliche Hilfe in meinem Hotelbett liege in Todesangst? Wir müssen den fürchterlichsten aller Fälle in Betracht ziehen und diese Reise *trotzdem* machen, sagte ich mir. Aber ich kann doch nicht meine ganzen Notizenhaufen mitnehmen, sagte ich mir gleichzeitig, die schwer in zwei Koffer hineingehen und mehr als zwei Koffer nach Palma mitzunehmen, ist Wahnsinn. Allein die Vorstellung, ich müsse mit zwei oder gar drei Koffern auf die Bahn und in den Zug und vom Zug auf den Flugplatz und da in ein Flugzeug undsofort, machten mich beinahe verrückt. Aber ich gab den Gedanken an Palma und das Meliá, nachdem das Mediterraneo seit Jahren für immer geschlossen ist, nicht mehr auf. Ich hatte mich in diesem Gedanken festgesetzt, umgekehrt dieser Gedanke in mir. Ich ging im Haus hin und her, auf und ab, hinauf und wieder zurück herunter und konnte von dem Gedanken, Peiskam hinter mich zu lassen, nicht mehr getrennt werden; aber tatsächlich machte ich ja nicht den geringsten Versuch, mich von diesem Gedanken an Palma zu befreien, im Gegenteil, schürte ich ihn ununterbrochen und trieb ihn schließlich auf die Spitze, indem ich meine zwei großen Reisekoffer aus der Vorhaustruhe heraushob und sie neben die Truhe hinstellte, als reiste ich tatsächlich ab. Wir dürfen andererseits, sagte ich mir, nicht gleich einem solchen urplötzlich aufgetauchten Gedanken nachgeben, wo kämen wir auf diese Weise hin. Aber der Gedanke war da und ich stellte die Koffer zwischen Truhe und Tür und betrachtete sie von einem für eine solche Betrachtung günstigen Winkel aus. Wie lange habe ich diese Koffer nicht mehr aus der Truhe herausgenommen!, sagte ich mir. Viel zu lange nicht. Tatsächlich waren die Koffer, obwohl die ganze Zeit seit meiner letzten Reise, also meiner letzten Palmareise, in der Truhe verstaubt und ich holte ein Staubtuch und wischte sie ab. Das verursachte mir aber gleich die größte Übelkeit. Ich hatte nicht einmal *einen* Koffer vom Staub gesäubert, mußte ich mich schon an der Truhe aufstützen, eine entsetzliche Atemlosigkeit hatte mich befallen. Und in einem solchen Zustand denkst du daran, nach Palma zu fliegen unter allen diesen entsetzlichen Schwierigkeiten, die eine solche Reise unweigerlich verursacht, die einem Gesunden nicht das geringste ausmacht, die einem Kranken aber zuviel, möglicherweise den Tod zumutet. Nach einiger Zeit wischte ich aber, jetzt vorsichtiger, den zweiten Koffer ab und setzte mich dann in den eisernen Vorhaussessel, der mein Lieblingssessel ist. In den einen Koffer die Schriften über

Mendelssohn Bartholdy, sagte ich mir, in den andern Kleider und Wäsche etcetera. In den größeren die Mendelssohn betreffenden Unterlagen, in den kleineren Kleider und Wäsche. Wozu habe ich dieses elegante Reisegepäck, sagte ich mir, das mindestens sechzig Jahre alt ist und aus den letzten Jahren meiner Großmutter mütterlicherseits stammt, die einen guten Geschmack hatte, wie genau wieder diese ihre Reisekoffer beweisen. Die Toscanischen haben einen guten Geschmack, sagte ich mir, das beweist sich immer wieder, wenn ich weggehe, sagte ich mir auf dem eisernen Sessel, verlasse ich doch nur ein Land, an dessen absoluter Bedeutungslosigkeit ich tagtäglich nur auf das äußerste deprimiert bin. An dessen Stumpfsinnigkeiten ich doch nur tagtäglich zu ersticken drohe, an dessen Dummheiten ich auch ohne meine Krankheiten früher oder später zugrunde gehe. An dessen politischen wie kulturellen Verhältnissen, die in letzter Zeit so chaotisch geworden sind, daß es uns jedesmal, wenn wir aufwachen in der Frühe, noch bevor wir überhaupt aus dem Bett gestiegen sind, den Magen umdreht. An dessen Bedürfnislosigkeit an Geist ein Mensch wie ich schon lange nicht mehr verzweifeln, sondern nurmehr noch erbrechen kann, wenn ich die Wahrheit sage. Ich gehe aus einem Land, sagte ich mir auf dem eisernen Sessel, in welchem alles das, das einem sogenannten Geistesmenschen Vergnügen machte, und wenn schon nicht Vergnügen, so doch wenigstens ganz einfach die Möglichkeit, seiner Existenz nachzugehen, ausgetrieben, ausgemerzt, ausgelöscht ist, in welchem nurmehr noch der primitivste aller Erhaltungstriebe zu herrschen scheint und in welchem der allergeringste Anspruch eines sogenannten Geistesmenschen im Keim erstickt wird. In welchem der korrupte Staat und die ebenso korrupte Kirche gemeinsam an jenem unendlichen Strange ziehen, welchen sie seit Jahrhunderten mit der größten Rücksichtslosigkeit und gleichzeitig Selbstverständlichkeit um den Hals dieses blinden und von seinen Beherrschern tatsächlich in seine Dummheit eingesperrten und tatsächlich dummen Volkes gewickelt haben. In welchem die Wahrheit mit Füßen getreten und die Lüge als einziges Mittel für alle Zwecke von allen offiziellen Stellen geheiligt wird. Ich verlasse ein Land, sagte ich mir auf dem eisernen Sessel sitzend, in welchem die Wahrheit nicht verstanden oder ganz einfach nicht akzeptiert wird und das Gegenteil der Wahrheit einziges Zahlungsmittel für alles ist. Ich verlasse ein Land, in welchem die

Kirche heuchelt und der an die Macht gekommene Sozialismus ausbeutet und die Kunst diesen beiden nach dem Mund redet. Ich verlasse ein Land, in welchem sich ein zur Stupidität erzogenes Volk von der Kirche die Ohren und vom Staat den Mund stopfen läßt und in welchem alles das, das mir heilig ist, seit Jahrhunderten in den Mistkübeln seiner Beherrscher endet. Wenn ich weggehe, sagte ich mir auf dem eisernen Sessel, gehe ich ja nur aus einem Land weg, in welchem ich im Grunde nichts mehr zu suchen und in welchem ich auch mein Glück niemals gefunden habe. Wenn ich weggehe, gehe ich aus einem Land weg, in welchem die Städte stinkend und die Bewohner dieser Städte verroht sind. Ich gehe aus einem Land weg, in welchem die Sprache ordinär und der Geisteszustand derer, die diese ordinäre Sprache sprechen, alles in allem unzurechnungsfähig geworden sind. Ich gehe aus einem Land weg, sagte ich mir auf dem eisernen Sessel, in welchem die sogenannten wilden Tiere einziges Vorbild geworden sind. Ich gehe aus einem Land weg, in welchem auch bei helllichtem Tag die finstere Nacht herrscht und in welchem im Grunde genommen nur noch polternde Analphabeten an der Macht sind. Wenn ich weggehe, sagte ich mir auf dem eisernen

Sessel, gehe ich ja nur aus dem sich in einem abstoßenden desolaten und ganz einfach unzumutbar schmutzigen Zustand befindlichen Abort Europas hinaus, sagte ich mir. Ich gehe weg, sagte ich mir, auf dem eisernen Sessel sitzend, heißt, ein Land hinter mich lassen, das mich seit Jahren nurmehr noch auf die schädlichste Weise bedrückt und mir bei jeder Gelegenheit, gleich wo und wann, nurmehr noch hinterhältig und böswillig auf den Kopf macht. Aber ist es nicht eine Verrücktheit, in einem Zustand und in einer allgemeinen Körperverfassung, die mir nicht einmal erlaubt, zweihundert Schritte außerhaus zu machen, an eine Palmareise zu denken? fragte ich mich, auf dem eisernen Sessel sitzend. Und abwechselnd dachte ich, auf dem eisernen Sessel sitzend, an Taormina und das Timeo mit Christina und ihrem Fiat, und an Palma und das Meliá und die Cañellas mit ihrem dreistöckigen Palast und ihrem Mercedes, und ich sah mich auf dem eisernen Sessel sitzend, auf einmal schon durch die engen palmanesischen Gassen laufen. *Durchlaufen!* rief ich auf dem eisernen Sessel aus und griff mich an den Kopf, wo ich im Grunde nicht einmal imstande bin, um mein Haus herumzugehen, geschweige denn, durch Palma zu laufen; ein solcher Gedanke eines

Kranken wie ich, grenzt schon nicht nur an Größenwahn, er hat diese Grenze weit überschritten, sich selbst tatsächlich zu einer Verrücktheit gemacht und zwar zu einer solchen, die mir dann ganz einfach nicht mehr aus dem Kopf gehen wollte; ich hatte diese Verrücktheit auf dem eisernen Sessel nicht mehr abbrechen können und auch gar nicht den Versuch gemacht, im Gegenteil, ich trieb sie auf dem eisernen Sessel soweit, daß ich ganz von selbst das Wort *verrückt* ausrufen mußte, das Meliá oder das Timeo, die Christina oder die Cañellas, der Fiat oder der Mercedes, hatte ich die ganze Zeit auf dem eisernen Sessel denken und spekulieren müssen und mich an dieser lächerlichen Spekulation auch noch erfrischt, das Meliá mit seinen Hunderten und Tausenden von Jachten vor dem Fenster, das Großstädtische an Palma, das Timeo mit seinen Bougainvilleen, die am Fenster blühen, der unglaubliche Meereswind am Meliá, das uralte Badezimmer im Timeo, Christina oder die Cañellas, die Bougainvilleen oder der Meereswind, die Kathedrale oder das griechische Theater, dachte ich auf dem eisernen Sessel, die Mallorquiner oder die Sizilianer, der Aetna oder Pollensa, der Ramón Llull und der Ruben Darío, oder der Pirandello. Schließlich sagte ich mir, ich brauche im Augenblick und gerade weil ich mit meinem Mendelssohn Bartholdy anfangen will, *eine großstädtische Atmosphäre,* mehr Menschen, mehr Geschehen, mehr Turbulenz, dachte ich auf dem eisernen Sessel, nicht nur eine einzige Straße und die *ansteigend* und deshalb *anstrengend,* nicht nur ein Kaffeehaus, sondern viele solcher belebter Straßen (und Plätze!) und viele solcher Kaffeehäuser und überhaupt soviel Menschen um mich als möglich, denn nichts brauche ich jetzt mehr, als Menschen um mich; nicht daß ich mit ihnen verkehren will, nicht einmal mit ihnen reden will ich, dachte ich auf dem eisernen Sessel, aber um mich haben muß ich sie und ich entschied mich aus allen diesen begreiflichen Gründen für Palma und gegen Taormina, für die Cañellas außerdem und gegen Christina und alles in allem für ein gerade meinem Zustand in ganz entscheidendem Maße zuträgliches Klima, für ein sommerliches, das ich in Palma schon im Feber zu erwarten habe, nicht aber in Taormina, in welchem es im Feber noch winterlich ist und dazu auch noch die meiste Zeit regnet und den Aetna, dachte ich auf dem eisernen Sessel, sieht man im Feber nur selten und wenn, dann ist er von oben bis unten mit Schnee bedeckt und erinnert mich andauernd und auf die

allerschädlichste Weise an die Alpen und also
an Österreich und an zuhause, was mir am
Ende dann doch nur immer wieder nichts als
Übelkeit zu verursachen imstande ist. Aber das
alles erschien mir aufeinmal doch nur als eine
unsinnige Spekulation, von einem aufgeregten
Kranken auf seinem eisernen Sessel angestellt,
die mich in erster Linie nur noch trauriger
machte, als ich schon war und die tatsächlich
mit Niedergeschlagenheit endete. Aber es gab
kein Entkommen mehr, obwohl ich mir noch
immer auf dem eisernen Sessel sitzend, ein-
redete, ob es nicht vielleicht doch genügte, einfach irgendeinen Nachbarn aufzusuchen. So
stand ich auf und zog mich um und ging nach
Niederkreut, das ganz in der Nähe liegt, das
selbst von mir in meinem erbärmlichen Zustand zu erreichen ist und bei dem es sich um
ein vierhundert Jahre altes Gemäuer handelt,
feucht und unansehnlich, das von einem ehe-
maligen Kavallerieoffizier aus dem Ersten
Weltkrieg, der sich, wie alle diese Leute, Baron
nennt, bewohnt wird, von einem alten Kauz
also. Ich ging nicht deshalb hin, weil mich der
Mann besonders interessierte, sondern weil er
der von mir aus am schnellsten und leichtesten
zu erreichende war, absolut eine Menschen-
kuriosität, wenn ich ihn besuche, trinke ich eine

Schale Tee und lasse mir seine Geschichten aus dem Ersten Weltkrieg erzählen, wie er *auf dem Monte Cimone verwundet* worden ist und wie er *drei Monate im Spital in Triest* gelegen ist und dann *die goldene Tapferkeitsmedaille bekommen* hat. Er erzählt im Grunde immer dieselbe Geschichte und er erzählt diese immergleiche Geschichte nicht nur mir, sondern allen, die ihn, wann immer, aufsuchen. Der Mann hat den Vorteil, daß er ausgezeichnet Tee kochen kann und daß er, obwohl er schon so alt ist, gegen fünfundachtzig, keinen üblen Mundgeruch hat, denn vor allem fürchte ich die Besuche bei alten Männern wegen ihres üblen Mundgeruchs. Überhaupt läßt sich der Mann, obwohl, wie gesagt, an die fünfundachtzig, nicht gehen und er sieht durchaus appetitlich aus. Er hat eine Haushälterin, die ihn versorgt, die er Muxi nennt, kein Mensch kann sagen, was das bedeutet und die sich, wenn man ihn aufsucht, in die Küche verzieht. Etwa jede halbe Stunde steckt sie ihren Kopf bei der Tür herein und fragt, ob der Alte etwas will. Nein Muxi, sagt der Alte jedesmal und wenn sie die Tür wieder zugemacht hat, beugt er sich zu einem vor und sagt: *sie ist dumm wie die Nacht!* Es ist immer dasselbe. Ich ging, aus Verzweiflung, muß ich sagen und nur, um

mich von dem absurden Gedanken, abzureisen, noch dazu nach Palma abzureisen, was
wohl der absurdeste Gedanke überhaupt war
in meiner Situation, zu dem Alten nach Niederkreut, ich nützte ihn ganz einfach in meiner
fürchterlichen Lage aus, um es kurz zu sagen,
er war mir gerade recht, mir mein Palma aus-
zutreiben. Als ich den Glockenzug zog, hörte
ich schon die Schritte der Haushälterin, die mir
aufsperrte. Der Herr sei da. Ich trat ein. *Ich
störe doch hoffentlich nicht,* sagte ich bei meinem Eintreten in sein Zimmer, in welchem ihm
die Haushälterin gemütlich, höchst angenehm,
eingeheizt hatte und ärgerte mich noch während ich diese Bemerkung machte, darüber,
daß ich gerade jene Bemerkung gemacht hatte,
die immerfort von meiner Schwester mir gegenüber gemacht wird und die mich wie keine
andere Bemerkung aufbringt, denn diese Bemerkung ist eine der verlogensten Bemerkungen, die es gibt. Der Herr war aufgestanden,
hatte mir die Hand geschüttelt und sich mit
mir wieder niedergesetzt. Ich bin gerade dabei,
mir einen Tee zu kochen, sagte er. Er hatte ein
Buch in der Hand. Jetzt ist die Zeit des Lesens,
sagte er, ein unsinniges Buch, etwas über
Marie-Louise, meine Schwester hat es mir geschickt, aber ich finde, es ist doch sehr abge-

schmackt. Was die Leute alles zusammenschreiben, kümmern sich keinen Deut um die Fakten und woher nehmen sie überhaupt ihre Kompetenz! Ich hatte keine Lust, in dieser Richtung mit dem Alten ein Gespräch anzufangen, aber schon als ich mich hinsetzte, in Erwartung einer Schale Tee, beobachtete ich, wie ich mich bereits von meinem Reiseplan entfernte. So unmöglich ist es ja hier auch wieder nicht, sagte ich mir und betrachtete die Bilder an der Wand. Das ist mein Großvater, Feldmarschall und Oberbefehlshaber der ganzen adriatischen Südfront, sagte der Alte, aber das habe ich sicher schon Hunderte Male gesagt, während die Haushälterin das Wasser hereinbrachte und wieder verschwand. Die Kriege werden ja heute ganz anders geführt, sagte er. Von Grund auf anders. Alles ist heute anders. Er hob den Teekannendeckel und rührte um und sagte: Es ist alles um alle Grade herumgedreht. Diesen Ausdruck verwendete er immer, kaum ist man mit ihm beisammen, findet er eine Überleitung zu der Bemerkung: *es ist alles um alle Grade herumgedreht.* Es gibt nur noch dreizehn Lebende, die die goldene Tapferkeitsmedaille vom Kaiser persönlich bekommen haben. Nur noch dreizehn, stellen Sie sich vor. Zuerst habe er daran ge-

dacht, seinen Besitz seiner in England lebenden Tochter zu vererben, aber er sei daraufge-
kommen, daß das Unsinn sei. Dann habe er
gedacht, er werde seinen Besitz der Kirche
vermachen. Die Kirche habe ihn aber enttäuscht und er wollte daraufhin die staatliche
Fürsorge beerben. Aber die staatliche Fürsorge, sagte er jetzt, ist auch eine Gemeinheit.
Es gibt überhaupt keine Institution, der ich etwas hinterlassen will. Aber auch keinem Menschen, den ich kenne. So habe ich beschlossen,
mir ein Telefonbuch von London schicken zu
lassen. Und zu welchem Zweck glauben Sie?
Er machte eine Pause, schenkte mir und sich
Tee ein und sagte: ich schlug irgendeine Seite
auf, nachher stellte ich fest, es ist die Seite
zweihundertdrei und drückte, und zwar mit
geschlossenen Augen, den Zeigefinger meiner
rechten Hand auf eine Stelle. Als ich die Augen
aufmachte und genau hinschaute, sah ich, daß
meine Fingerspitze auf den Namen *Sarah Slother* gedrückt war. Mir ist es egal, sagte er, wer
diese Sarah Slother ist, die Adresse ist Knights-
bridge 128. Dieser Adresse, gleich, wer oder
was sich dahinter verbirgt, vermache ich alles,
was ich habe. Mein lieber Nachbar, das ver-
schafft mir die höchste Befriedigung. Im übrigen habe ich den juristischen Teil dieser kurio-

sen Angelegenheit schon erledigt. Wenn wir es genau überlegen, können wir doch *nicht einem einzigen Menschen, den wir kennen,* etwas vermachen, sagte er. Jedenfalls ich nicht. Ich war ganz fasziniert von dem Alten, ich hatte ihm so etwas nicht zugetraut. Aber er hatte die Wahrheit gesagt. Alles andere an diesem Nachmittag, der sich dann mit dem üblichen Altersgeschwätz hingezogen hat bis in die Nacht, war nichts mehr gegen diese seine Mitteilung. Aber schweigen Sie darüber, hat er zu mir gesagt, ich habe keinem Menschen etwas davon gesagt. Und es ist tatsächlich kein Scherz. Sie sind der einzige Mensch, von dem ich weiß, daß er, was ich ihm gesagt habe, für sich behalten wird. Ich bin ganz erleichtert. Immerhin, sagte er, Sie wissen, was auf diese Slother zukommt. Mein Gott, hatte er noch gesagt, bin ich hinterhältig und hatte offensichtlich seine Freude an dieser Hinterhältigkeit. Als ich nachhause ging, war ich nicht nur nicht abgebracht von meinem Reiseplan, er erschien mir aufeinmal gar nicht mehr als ein absurder, im Gegenteil, hatte ich plötzlich das Gefühl, ich könne mir keinen besseren Dienst erweisen, als so schnell als möglich abzureisen und natürlich nach Palma. Ich hatte aufeinmal den erfrischenden Gedanken, mich im letzten Moment aus meiner Gruft hinauszukatapultieren, im allerletzten Moment und ich dachte, so sehr ich sie verfluche, wieder hatte meine Schwester den richtigen Gedanken. Ich war aufeinmal ganz besessen von meinem Reiseplan. Auch der Alte in Niederkreut hatte mir aufeinmal wieder die Augen geöffnet, die solange geschlossen waren. Hatte ich ihn aufgesucht, damit er mich von meinem Reiseplan abbringt, so hat er mich im Gegenteil gerade auf diesen Reiseplan hin halb verrückt gemacht. Aus der ganzen Gegend mußt du fort, nicht fortwährend nachdenken, wie dich ablenken, durch alle möglichen und unmöglichen Leute in der Nachbarschaft etcetera, sondern abreisen, weggehen, so bald als möglich. Meine Schwester, die verfluchte, hatte wieder einmal einen guten Riecher gehabt. Ich hatte aber immerhin auch die Wahl, für einige Zeit nach Wien zu gehen, ich muß ja nicht in die Wohnung meiner Schwester, sagte ich mir, ich kann ins *Elisabeth* gehen oder in den *König von Ungarn,* aber soviel ich auch an Wien dachte, Palma beherrschte mich doch vollkommen. Was habe ich in Wien, fragte ich mich und allein wenn ich mir die Namen aller jener vergegenwärtigte, die ich in Wien kenne, graust es mich, mit ganz wenigen Ausnahmen und diese Ausnahmen kamen entweder wegen

Krankheit nicht mehr in Frage, oder weil sie längst gestorben sind. Jahrelang hatte ich ja den Paul Wittgenstein, den Neffen des Philosophen, aber der starb endlich, muß ich sagen, an seiner jahrelangen qualvollen Krankheit am Ende doch gerade zu dem richtigen Zeitpunkt, in welchem Wien eigentlich für ihn nichts mehr gewesen ist. Er war schon Jahrzehnte durch Wien gegangen und es hatte mit ihm nichts mehr zu tun. Niemand war so gescheit wie er, keiner war so poetisch, so unbestechlich in allem. Jetzt wo ich ihn verloren habe, habe ich selbst in Wien nichts mehr verloren. Ich habe zwanzig Jahre ununterbrochen in Wien gelebt, wahrscheinlich meine beste, gleichzeitig meine schönste Zeit, aber diese Zeit ist unwiederholbar, alles heutige ist dagegen nurmehr noch ein dürftiger Aufguß, den mitzumachen ich mich zu schämen habe. Wien ist heute eine durch und durch proletarisierte Stadt, für welche ein anständiger Mensch nurmehr noch Spott und Hohn und die tiefste Verachtung übrig haben kann. Was in ihr groß oder auch nur beachtenswert gewesen ist, verglichen mit der übrigen Welt, ist längst tot, die Gemeinheit und die Dummheit und die mit diesen beiden gemeinsame Sache machende Scharlatanerie beherrschen heute die Szene.

Mein Wien wurde von geschmacklosen und geldgierigen Politikern von Grund auf ruiniert, es ist nicht mehr wiederzuerkennen. An manchen Tagen weht noch die frühere Luft, aber nur kurze Zeit, dann deckt der Abschaum, der sich in dieser Stadt in den letzten Jahren breitgemacht hat, wieder alles zu. Die Kunst ist in dieser Stadt nurmehr noch eine ekelerregende Farce, die Musik ein abgeleierter Leierkasten, die Literatur ein Alptraum und von der Philosophie will ich gar nicht reden, da fehlen selbst mir, der ich nicht zu den allerphantasielosesten gehöre, die Wörter. Lange Zeit hatte ich gedacht, Wien ist meine Stadt, sogar, daß es mir Heimat ist, aber jetzt muß ich doch sagen, ich bin doch nicht in einer von den Pseudosozialisten bis an den Rand mit ihrem Unrat angefüllten Kloake zuhause. Auch ist mein Interesse, praktisch Musik zu hören, nicht mehr das von früher, ich lese lieber allein für mich meine Partituren, ist dieses Vergnügen auch ungemein kostspieliger. Aber was bieten diese Konzerte im Musikverein und im Konzerthaus heute schon? Die großartigen Kapellmeister von früher, haben sich in plumpe sensationshaschende Dompteure verwandelt und die Orchester sind unter diesen Dompteuren schwachsinnig geworden. Die Museen habe ich alle gesehen und das Theater ist das staubigste in ganz Europa. Das Burgtheater ist heute doch nichts anderes als eine geschmacklose, wenn auch unfreiwillige Parodie auf das Theater überhaupt, in welcher alles, was mit Geist zu tun hat, fehlt; Provinzialismus, Farce. Ganz zu schweigen von den andern Theatern, deren tagtäglicher Dilettantismus gerade für die neue, durch und durch abgeschmackte Gesellschaft recht ist. Und natürlich wäre es mir unerträglich, mit meiner Schwester unter einem Dach zu hausen, das hat sich ja gerade wie sie jetzt in Peiskam gewesen ist, gezeigt. Sie machte mir, ich machte ihr die Hölle, einer brächte den andern in der kürzesten Zeit um. Wir haben nie unter einem Dach zusammenleben können. Aber es ist ja durchaus möglich, daß meine Schwester in bestem Sinne an mich und an mein Weiterkommen gedacht hat, als sie mich zu sich in ihre Wiener Wohnung einlud, was ich aber letztenendes doch wieder nicht zu glauben imstande bin, weil ich sie kenne. Andererseits, sagte ich mir, bin ich nicht neugierig genug, nur deswegen nach Wien zu fahren, um ihre neue Wohnung zu inspizieren, in welcher sich wahrscheinlich eine Kostbarkeit an die andere reiht und das durchaus nicht geschmack*los*, im Gegenteil, aber gerade das würde mich zur Weißglut bringen. Schau mein kleiner Bruder, diese Vase ist aus Oberägypten, ich höre sie, *wie* sie das sagt und darauf wartet, was ich dazu zu sagen habe, obwohl sie weiß, was ich darauf sagen werde. Wir sind intelligente Geschwister, die ihre Intelligenz in viereinhalb Jahrzehnten sehr weit und sehr gut haben entwickeln können, ein jeder auf seine Weise, jeder in seine ihm eigene Richtung, ich in die meinige, sie in die ihrige bis heute. Nach Wien brauchte ich nur meine Reisetasche mitnehmen, denn an ein Arbeiten ist in Wien nicht zu denken. Jedenfalls nicht bei meiner Schwester. Aber auch nicht, wenn ich im Hotel wohne, denn Wien ist gegen meine Arbeit, ist immer gegen meine Arbeit gewesen, in Wien ist mir niemals eine Arbeit gelungen, viele Arbeiten habe ich in Wien angefangen, aber keine einzige zuende gebracht, was jedesmal einen fürchterlichen Beschämungseffekt in mir bewirkt hat. Einmal, vor fünfundzwanzig Jahren, habe ich in Wien etwas über Webern zuende schreiben können, es aber gleich, wie es fertig gewesen war, verbrannt, weil es mißlungen war. Wien hat sich immer lähmend ausgewirkt auf mich, auch wenn ich das niemals hatte wahrhaben wollen, es lähmte mich in allem und jedem. Und die

Menschen, die ich in Wien kennengelernt habe, lähmten mich auch, von zwei, drei Ausnahmen abgesehen. Aber mein Paul Wittgenstein ist, an seiner Verrücktheit, wohlgemerkt, gestorben und meine Malerfreundin Joana hat sich aufgehängt. Wer nach Wien geht und in Wien bleibt und den Zeitpunkt übersieht, zu welchem er aus Wien wieder zu verschwinden hat, ist zum sinnlosen Opfer geworden für eine Stadt, die jedem Menschen alles wegnimmt und überhaupt nichts gibt; es gibt Städte, wie zum Beispiel London oder Madrid, die nehmen auch, aber nicht viel, und geben fast alles, Wien nimmt alles und gibt nichts, das ist der Unterschied. Die Stadt ist darauf angelegt, daß sie die ihr in die Falle Gegangenen aussaugt und solange aussaugt, bis sie tot umfallen. Ich hatte das früh erkannt und Wien nach Möglichkeit gemieden. Nur um ein paar von mir innig geliebte Menschen von Zeit zu Zeit in Wien aufzusuchen, bin ich später, nach diesen beinahe ununterbrochenen Wiener Jahren, nach Wien gefahren. Die wenigsten haben die Kraft, Wien früh genug den Rücken zu kehren, bevor es zu spät ist, sie bleiben an dieser gefährlichen, ja giftigen Stadt kleben und lassen sich schließlich, müde geworden, von ihr erdrücken wie von einer schillernden Schlange. Und wieviele

Genies sind in dieser Stadt von ihr erdrückt worden, gar nicht aufzuzählen. Aber denen es gelang, ihr zu dem richtigen Zeitpunkt den Rücken zu kehren, ist doch immer alles oder doch beinahe alles gelungen, wie die Geschichte beweist und was man nicht unbedingt wieder festhalten muß. Ginge ich jetzt nach Wien, ich langweilte mich vor allem bis zum Selbstekel, habe ich gedacht. Ich zertrümmerte mir sozusagen in der kürzesten Zeit das Wenige, das ich noch habe. Also schied Wien aus. Für kurz tauchte auch Venedig auf, aber bei der Vorstellung, monatelang in diesem zwar prächtigen, aber doch durch und durch perversen Gesteinshaufen sitzen zu müssen, und sei es an dem idealsten Platz, schüttelte es mich. Venedig ist nur für ein paar Tage, wie eine elegante Alte, die man *jedesmal zum letztenmal* aufsucht für ein paar Tage, aber nicht länger. Jetzt war ich nur mehr noch auf Palma fixiert und noch an dem gleichen Abend, an welchem ich von Niederkreut zurückgekommen war, wo mir der Alte seinen letzten Wunsch offenbarte, was mich nach wie vor faszinierte und im Grunde die ganze Zeit am meisten beschäftigte, noch an dem gleichen Abend fing ich an, daran zu denken, was ich in meine beiden Koffer einpacke, die ich inzwischen in den ersten

Stock hinaufgetragen hatte, um sie beide zur Gänze geöffnet auf der Kommode in meinem Schlafzimmer liegenzulassen. Zuerst packte ich, immerfort in dem Gedanken, nur das Notwendigste mitzunehmen, mein altes Reiseprinzip, Kleider, Wäsche und Schuhe ein. Nur zwei Jacken, nur zwei Hosen, nur zwei Paar Schuhe, sagte ich mir und ich suchte die entsprechenden zusammen, dabei dachte ich fortwährend, daß es sommerliche Jacken und Hosen sein müssen, sommerliche Schuhe, denn im Jänner ist in Palma schon Sommer, mehr oder weniger schon sommerlich, wie ich mich verbesserte. Alle machen immer den Fehler, daß sie zuviel Kleider auf die Reise mitnehmen und sich beinahe zutode schleppen und am Ende immer nur das gleiche anziehen am Ort, wenn sie einigermaßen vernünftig sind. Nun reise ich aber schon über drei Jahrzehnte auf eigene Faust, habe ich mir gesagt und nehme doch immer wieder im letzten Moment zuviel mit, auf diese Reise, die möglicherweise und mit an Wahrscheinlichkeit grenzender Sicherheit meine letzte sein wird, wie ich dachte, nehme ich nicht zu viel mit, ich hatte wenigstens den Vorsatz. Aber schon bei der Frage, nehme ich zu der dunkelgrauen Hose noch eine dunkelbraune mit oder eine schwarze, war ich im

Zwiespalt. Am Ende legte ich doch eine dunkelgraue und eine dunkelbraune und eine schwarze in den Koffer. Dafür war ich mir, was die Röcke betrifft, nicht im Zweifel, daß es nur ein grauer und ein brauner sein wird. Sollte es sich herausstellen, daß ich einen sogenannten dunklen Rock brauche in Palma, kann ich mir ja einen solchen dunklen Rock kaufen, sozusagen den eleganten, obwohl ich mir sicher war, daß ich keinerlei Gelegenheit für einen solchen sogenannten eleganten Rock haben werde. Wo ein solcher sogenannter dunkler eleganter Rock gefordert wird, gehe ich ja nicht hin. Und wer weiß, ob ich überhaupt zu den Cañellas gehe in meinem Zustand, dachte ich. Ich kenne die Möglichkeiten und die Unmöglichkeiten gesellschaftlicher Natur in Palma und Umgebung, auf der Insel. Wahrscheinlich liebe ich die Insel gerade weil sie voller Alter und Kranker ist! Ich werde die meiste Zeit im Hotel sein und meine Arbeit schreiben. Den zweiten Koffer einzupacken war naturgemäß nicht so leicht, wie den ersten, denn ich hätte einen doppelt so großen Koffer gebraucht, um alles das unterzubringen, das mir absolut notwendig erschienen ist für meine Arbeit. Schließlich baute ich zwei Türme mit Büchern und Schriften über Mendelssohn Bartholdy vor mir auf dem Fenstertisch auf: der eine entwickelte sich aus den unbedingt notwendigen Büchern und Schriften und sonstigen Papieren, der andere aus den *nicht* unbedingt notwendigen, jedenfalls glaubte ich zu wissen, welche von diesen Büchern und Schriften und sonstigen Papieren ich für meine Arbeit notwendiger habe als die andern und schließlich hatte ich tatsächlich zwei etwa gleichgroße Haufen nebeneinander auf dem Tisch vor mir. Ich packte die unbedingt notwendigen Bücher und Schriften und sonstigen Papiere in den zweiten Koffer und hatte dann noch Platz für etliche nicht unbedingt notwendige, mit welchen ich den Koffer so anfüllte, daß er beinahe nicht mehr zugegangen wäre. Schließlich konnte ich, nachdem ich meine Toilettesachen auch schon in ihm untergebracht hatte, auch noch drei Bücher über Mendelssohn Bartholdy in den Kleiderkoffer stekken. Das alles gleich an dem Tag, der dem Tag folgte, an dem meine Schwester abgereist und tatsächlich nicht mehr zurückgekommen ist. Nachdem ich die Koffer gepackt hatte, war ich vollkommen erschöpft. In der Zwischenzeit hatte mir der Mann vom Reisebüro, den ich ein paar Stunden vorher angerufen hatte, ob noch ein Platz im Flugzeug sei, angerufen, daß alles in Ordnung ginge. Er schicke mir noch nach Geschäftsschluß meine Reisepapiere nach Peiskam heraus, hatte er gesagt. Mein Abflug von München nach Palma war für den nächsten Tag am Abend geplant, ich durfte also auf einen relativ angenehmen Reiseverlauf hoffen. Wie immer, hatte ich mich von einem Augenblick auf den andern zu einer solchen Reise entschlossen. Für den frühen Morgen hatte ich die Frau Kienesberger bestellt, um mit ihr zu besprechen, was zu geschehen habe während meiner Abwesenheit, darauf wollte ich noch nach Wels zu meinem Internisten. Gleich, was er jetzt für eine Meinung haben wird, ich reise in jedem Falle ab, sagte ich mir. Ich war jetzt, durch den Reiseentschluß, nicht mehr so schlecht beisammen, wie noch am Vortag, wie noch in der Frühe. Am Abend allerdings wurde ich, gerade als ich ziemlich beruhigt über den Anblick meiner beiden festverschlossenen Koffer im Fauteuil neben meinem Bett saß, schon die Konturen von Palma vor mir, vom Reisebüro angerufen, daß ich erst in zwei Tagen abreisen könne, es habe sich so herausgestellt. Es war mir im Moment nicht unrecht. Ich tat enttäuscht, aber ich war im Grunde froh über diese Verzögerung. Deine mörderische Schnelligkeit hat einen Dämpfer bekommen, das ist gut, dachte ich. Aber hoffentlich, dachte ich gleichzeitig, komme ich inzwischen, bis in zwei Tagen, nicht von meinem jetzt so innigst gewünschten Plan ab und bleibe dabei, hoffentlich. Ich kenne mich zu gut, um nicht zu wissen, wie wankelmütig ich sein kann und in zwei Tagen kann alles vollkommen anders und um alle Grade herumgedreht sein und möglicherweise ein paarmal in zwei Tagen *um alles und um alle Grade.* Aber ich war mir sicher, daß Palma das richtige ist. Jetzt kannst du in Ruhe deinen Internisten aufsuchen, in Ruhe die Bank aufsuchen, in Ruhe hier schlußmachen. Es war, als wäre ein Alptraum zuende. Als ich meine Schwester anrief und ihr sagte: übermorgen bin ich in Palma, ich habe mich blitzartig dazu entschlossen, sagte sie: na siehst du, mein kleiner Bruder. Das ist das Vernünftigste, daß du nach Palma fährst. Dieser Nachsatz hatte gleich wieder meine Verärgerung zur Folge gehabt, denn er war von ihr in einem mich hänselnden Ton gesagt, aber ich ging nicht darauf ein und verabschiedete mich ziemlich kurz von meiner Schwester, nicht ohne ihr zu sagen, daß ich mich, sobald ich in Palma angekommen und im Hotel bin, bei ihr melden werde. Ich bin neugierig, was aus deinem Mendelssohn Bartholdy wird, hat sie noch gesagt und naturgemäß von mir keine Antwort erwarten können. Andererseits hatte sie sich mit einer ganz einfachen Bemerkung, daß ich nämlich auf mich aufpassen solle, von mir verabschiedet, die mich wiederum rührte. Ich wollte aber keinerlei Sentimentalität aufkommen lassen und unterdrückte einen plötzlichen Weinkrampf, als ich den Hörer aufgelegt hatte. Wie zerbrechlich wir sind, habe ich gedacht, wir führen alle so große Wörter im Mund und pochen tagtäglich und fortwährend auf unsere Härte und auf unseren Verstand und kippen von einem Augenblick auf den andern um und müssen ein Weinen in uns erdrücken. Natürlich werde ich, wie immer, wenn ich im Ausland gewesen bin, wöchentlich meine Schwester anrufen, umgekehrt bin ich sicher, daß auch sie mich wöchentlich anruft. Wir haben es immer so gehalten. Wenn du im Meliá bist, das kennst du ja, hatte sie noch gesagt. Natürlich, hatte ich geantwortet. So herrlich die Aussicht jetzt war, schon in zwei Tagen in Palma zu sein, die Angst davor, was in Wahrheit und in Wirklichkeit mich in Palma erwartet, das ich ja nicht habe wissen können, war doch in mir die größte. Nein, wer auf Reisen geht und fährt er immer wieder dorthin, wo ihm, wie er glaubt, schon alles durch und durch bekannt und vertraut ist, kann auf keinerlei Sicherheit rechnen, wenn ich Glück habe, dachte ich, bekomme ich mein Zimmer. Wenn ich Glück habe, überbrücke ich die ersten, was meine Krankheit betrifft, gefährlichen Tage. Wenn ich Glück habe, kann ich in wenigen Tagen mit meiner Arbeit anfangen. Immer, wenn ich eingepackt habe und alles beschlossene Sache ist vor einer Reise und ich im Grunde gar nicht mehr zurückkann, fürchte ich mich davor, alle diese fürchterlichen, mit einer solchen Reise in Zusammenhang stehenden Konsequenzen auch zu ziehen. Am liebsten würde ich dann wieder alles rückgängig machen. Dann sehe ich, daß Peiskam gar nicht so grauenhaft ist, wie ich es mir monatelange gemacht habe, daß es ein herrliches, gemütliches Haus ist mit allen nur denkbaren Vorzügen, nichts, aber auch gar nichts von einer Gruft an sich hat. Dann liebe ich alle Räume, alle Zimmer, alle Möbelstücke besonders eindringlich und ich gehe durch das ganze Haus und betaste die einzelnen Stücke liebevoll. Dann sitze ich erschöpft in meinem Fauteuil in meinem Schlafzimmer und frage mich, ob es denn dafürsteht, aufzubrechen, diese ungeheuere Anstrengung auf mich zu nehmen. Aber ich muß fort, sagte ich mir. Gerade weil es vielleicht das letztemal ist, muß ich weg. Ich darf jetzt nicht nachgeben und mich lächerlich machen, vor allem vor mir selbst, mich vor mir selbst zum Narren machen. Du besprichst alles mit der Kienesberger und gehst zum Internisten und nimmst alle notwendigen Medikamente an dich und packst sie ein und verschwindest. Du kehrst dem Haus und allem, das in ihm ist und das dich doch, wie du genau weißt, in den letzten Monaten zu erdrücken und zu ersticken drohte, den Rücken. Du läßt das, das dich rücksichtslos an den Rand deiner Existenz gebracht hat, zurück, ohne Gemütsbewegung. Im Augenblick schämte ich mich der Gefühle für mein Haus, die ich gerade gehabt hatte, die ich aber doch gleich darauf wieder nur als teuflisch bezeichnen konnte. Das Selbstsentimentale, es stieß mich sofort wieder ab. Wäre ich nicht von schnellem Entschluß in allen Dingen, lebenslänglich, wie ich weiß, ich wäre, wie ich genauso weiß, von Anfang an wie gelähmt auf ein- und demselben Platz sitzengeblieben und verkommen, so habe ich mich immer selbst überrumpeln können, ob es sich nun um Reisen oder Arbeiten oder alles mögliche Andere handelte, ich mußte immer diesen Überrumpelungseffekt anwenden. Bei dem Besuch des Alten in Niederkreut hatte ich noch daran gedacht, die Reise nach Palma *nicht* zu machen, daß es vielleicht möglich sein wird, durch in Abständen von ein paar Tagen regelmäßig vorgenommene Besuche bei dem Alten in Niederkreut und anderen Alten oder auch Jungen, mich so zu disziplinieren, daß ich *ohne* wegzureisen, meine Arbeit über Mendelssohn Bartholdy anfangen kann. Aber nachdem der Alte die Geschichte mit dem Telefonbuch aus London und über sein damit zusammenhängendes Testament erzählt hatte, war mir klar gewesen, daß ich abzureisen habe. *Sarah Slother*, das prägt sich zweifellos ein. Aber diese Geschichte der Sarah Slother wäre absolut der Höhepunkt dieses noch endlosen österreichischen Winters gewesen und ich wäre bei meinen weiteren Besuchen doch nur zutiefst enttäuscht worden. Und was die andern Nachbarn zu bieten haben, weiß ich, es reicht nicht, mir auf die Beine und also zu meiner Arbeit zu verhelfen. Diese Geschichte des Alten von seiner Slother war nur das auslösende Moment gewesen, mich sofort für die Reise nach Palma zu entschließen, die tatsächlich und wahrscheinlich schon lange von meiner Schwester vorgeplant gewesen war, wie ich jetzt dachte. Sie ist tatsächlich nach Peiskam gekommen, um mich zuerst auf die Idee, schließlich auf die

Tatsache, nach Palma zu reisen, zu bringen, mit Sicherheit, mußte ich mir jetzt sagen, nicht nur zu dem Zwecke, um sich zu amüsieren und mich zu tyrannisieren, wie ich die ganze Zeit geglaubt habe, sondern um mich zu retten. Sie hatte ihr Ziel erreicht. Meine große, fürsorgliche Schwester. Im Augenblick verachtete ich mich. Ich war wieder einmal der Schwache. Immer wieder spielte ich, auch wenn ich mich noch so dagegen wehrte, meine Rolle. Wie sie die ihrige. Während sie längst ihren Auftritt in Wien hat, warte ich auf meinen Auftritt in Palma. Tatsächlich war alles an uns auch theatralisch, es war die furchtbare Wirklichkeit, aber theatralisch. In meinem Fauteuil sitzend, den unaufhaltsamen Verfall an meinen Möbelstücken wie im ganzen Zimmer beobachtend, dachte ich mit Schaudern daran, mich jetzt noch den ganzen langen und wie ich weiß, sich bis in den Mai hinein wie in die Unendlichkeit hinziehenden Winter hier in Peiskam verbringen zu müssen, angewiesen auf die von mir so genannte Nachbarschaftshilfe, auf den Alten von Niederkreut beispielsweise, auf den Minister und derengleichen undsofort. Mich an allen diesen schon viele Jahre abgestandenen und stumpf und ja schon in Wahrheit jahrelang unerträglich gewordenen Leuten vorbei durch die nassen und kalten Nebelmonate, wie wir sagen, wursteln zu müssen. Dieser Gedanke legte sich jetzt um meinen Kopf wie ein Leichentuch. Mich allen diesen Leuten ausliefern zu müssen und gleichzeitig doch mit mir und meinem aufeinmal wieder bis in die letzten Winkel hinein hinterhältigen Peiskam allein zu sein. Mich von einem selbstgemachten Frühstück zum andern weiterekeln zu müssen, von einem selbstgemachten Nachtmahl zum andern, von einer Wetterenttäuschung zur andern. Die Zeitungen und ihren lokalpolitischen Dreck lesen zu müssen tagtäglich, ihren stumpfsinnigen Politik- und Wirtschafts- und Feuilletonistenschmutz. Mich diesen Zeitungen und ihren ekelerregenden Erzeugnissen nicht entziehen zu können, weil ich andererseits diesen Zeitungsschmutz so begierig in mich hineinfressen muß tagtäglich, wie wenn ich geradezu an einer perversen Zeitungsgefräßigkeit leiden würde. Mich überhaupt, obwohl ich den Willen dazu habe, tatsächlich den *Überlebens*willen, mich allen diesen öffentlichen und veröffentlichten Schmutzigkeiten nicht entziehen zu können, weil ich mich ihnen aus dieser Gefräßigkeit nach ihnen nicht entziehen kann, allen diesen perversen Schauermärchen vom Ballhausplatz, wo ein gemein-

gefährlich gewordener Kanzler seinen Minister-
idioten ebenso gemeingefährliche Befehle gibt.
Allen diesen haarsträubenden Parlamentsnach-
richten, die tagtäglich meine Ohren kakopho-
nieren und meinen Verstand beschmutzen und
die in die christliche Heuchelei verpackt sind.
Wir müssen so schnell als möglich einpacken
und weggehen und dieses Chaos hinter uns lassen, sagte ich mir und ich beobachtete die Risse
in den Mauern und in den Möbeln und stellte
fest, daß die Fenster so schmutzig waren, daß
ich nicht einmal mehr imstande war durchzu-
blicken. Was tut die Kienesberger? fragte ich
mich. Gleichzeitig mußte ich mir sagen, wir
stellen immer zu hohe Ansprüche an alles und
jedes, alles ist uns zu wenig gründlich getan,
alles ist uns nichts als unvollkommen, alles
nur Versuch, nichts Vollendung. Meine krankhafte Sucht zur Perfektion war wieder einmal
zum Vorschein gekommen. Daß wir immer
das Höchste fordern, das Gründlichste, das
Grundlegendste, das Außergewöhnlichste, wo
es ja doch immer nur das Niedrigste und das
Oberflächlichste und das Gewöhnlichste festzustellen gibt, macht tatsächlich krank. Es
bringt den Menschen nicht weiter, es bringt
ihn um. Wir sehen den Niedergang, wo wir
den Aufstieg erwarten, wir sehen die Hoff-

nungslosigkeit, wo wir Hoffnung haben, das ist unser Fehler, unser Unglück. Wir fordern immer alles, wo naturgemäß nur wenig zu fordern ist, das deprimiert uns. Wir wollen diesen Menschen auf dem Gipfel sehen und er scheitert schon in den Niederungen, wir wollen tatsächlich alles erreichen und erreichen tatsächlich nichts. Und wir stellen naturgemäß an uns selbst die höchsten und die allerhöchsten Ansprüche und lassen dabei zur Gänze die Menschennatur außer acht, die ja für diese höchsten und allerhöchsten Ansprüche nicht geschaffen ist. Der Weltgeist überschätzt sozusagen den menschlichen. Wir scheitern ja auch immer, weil wir den Maßstab um ein paar hundert Prozent höher angesetzt haben, als uns angemessen. Und wir sehen, wenn wir sehen, überall und wohin wir unseren Blick auch richten, nur Gescheiterte, die den Maßstab zu hoch angesetzt haben. Aber andererseits, denke ich, wohin kämen wir, wenn wir den Maßstab fortwährend zu niedrig ansetzten? Ich betrachtete meine Koffer, sozusagen den geistigen und den ungeistigen von meinem Fauteuil aus und hätte augenblicklich, wenn ich dazu im Moment die Kraft gehabt hätte, in ein schallendes Gelächter über mich ausbrechen können oder, ganz im Gegenteil, in Tränen. Ich war wieder einmal in meiner eigenen Komödie gefangen. Ich hatte das Ruder herumgedreht und es war wieder nur zum Lachen, oder zum Weinen, je nachdem, aber da ich weder lachen wollte, noch weinen, stand ich auf und kontrollierte, ob ich auch die richtigen Medikamente eingepackt habe, ich hatte sie in meinen rotgesprenkelten Medikamentensack gesteckt, ob ich genug Prednisolon und Sandolanid und Aldactone saltucin eingepackt habe, ich öffnete den Medikamentensack und schaute hinein und stülpte ihn auf dem Fenstertisch um. Meiner Rechnung nach muß ich mit dieser Menge an die vier Monate auskommen, habe ich mir gesagt und die Medikamente wieder in den Sack gesteckt. Es ekelt uns vor Chemie, sagte ich zu mir selbst, halblaut, wie ich mir das durch das viele Alleinsein angewöhnt habe, aber wir verdanken dieser wie nichts sonst auf der Welt verachteten Chemie immerhin unser Leben, unser Dasein, wir wären ohne diese verfluchte Chemie schon jahrzehntelang auf dem Friedhof oder wo immer hingeworfen, in jedem Fall nicht mehr auf der Erde. Nachdem die Chirurgen nichts mehr zum Schneiden haben an mir, bin ich vollkommen auf diese Medikamente angewiesen und ich danke jeden Tag der Schweiz und ihren Industrien am Genfer See, daß es sie gibt und durch sie mich, wie wahrscheinlich Millionen jeden Tag diesen wie keine andern heute von allen heruntergemachten Leuten in ihren Glaskästen nahe Vevey und Montreux ihr Dasein und ihre, wenn auch noch so kümmerliche Existenz verdanken. Da beinahe die ganze Menschheit krank ist heute und auf Medikamente angewiesen, solle sie sich gefälligst darüber Gedanken machen, daß sie in dem allerhöchsten Maße ja nur noch ausschließlich von dieser Chemie existiert, die sie so verteufelt. Drei Jahrzehnte mindestens wäre ich nicht mehr da und ich hätte alles, das ich in diesen dreißig Jahren gesehen und erlebt habe, und im Grunde hänge ich an diesem Gesehenen und Erlebten mit meinem ganzen Herzen und mit meiner ganzen Seele, nicht gesehen und nicht erlebt. Aber der Mensch ist gerade darauf so angelegt, daß er am meisten verflucht, was ihn zusammen- und überhaupt am Leben hält. Er frißt die Tabletten, die ihn retten und marschiert alle Augenblicke in stumpfsinnigem Verdammungstrieb durch die heutigen verkommenen Großstädte, um gerade gegen diese ihn rettenden Tabletten zu demonstrieren, er tritt, so abgrundtief dumm ist er, fortwährend und natürlich fortwährend dazu von den Politikern und ihrer

Presse aufgeputscht, großmaulig und in jedem Falle ohne auch nur einen Ansatz zum Denken, gegen seine Erhalter auf. Ich selbst verdanke der Chemie, wenn ich es in einem einzigen Satz sage, alles, seit dreißig Jahren alles. Mit dieser Feststellung verstaute ich meinen Medikamentensack, und zwar im sogenannten Geisteskoffer, nicht im Kleiderkoffer. Nicht im geringsten habe ich, dachte ich, mich wieder in den Fauteuil setzend, vor drei Tagen daran gedacht, Peiskam zu verlassen, ich haßte es und es drohte mich zu erdrücken und zu ersticken, aber der Gedanke, einfach aus ihm wegzugehen, war nicht zur Debatte gestanden, wahrscheinlich gerade deshalb nicht, weil meine Schwester immerfort die Andeutungen in diese Richtung, nämlich Peiskam so schnell als möglich zu verlassen, gemacht hatte. Immer wieder hatte sie Namen von Städten genannt, jetzt begreife ich, nur um mich zu reizen, das Wort *Adria*, das Wort *Mittelmeer*, so oft das Wort *Rom* und die Wörter *Sizilien* und schließlich auch mehrere Male *Palma*, was mich aber doch nurmehr noch intensiver daran hatte denken lassen, in Peiskam mit meiner Arbeit anzufangen, immer redet sie und redet sie, habe ich gedacht und geht nicht weg, sie solle, weiß Gott, wohin gehen, meinetwegen in die

Südsee, aber so bald als möglich und für lange Zeit, denn sie war mir schon so auf die Nerven gegangen und ich fragte mich, was sie denn eigentlich noch in Peiskam wollte, das sie selbst alle Augenblicke heruntermachte, immerfort als *die Gruft* bezeichnete, als ihr und mein Lebensunglück, daß sie es am liebsten, wäre ich nur dazu bereit, verschleudern würde; die Elternhäuser sind todbringend hat sie gesagt, jedes Elternerbe todbringend und wer die Kraft dazu habe, solle diese ererbten Elternhäuser- und Elternerben so schnell er kann, abstoßen und sich von ihnen befreien, denn sie schnüren nur seinen Hals zu und verhindern in jedem Fall seine Entfaltung. Das möchte dir so passen, auch noch aus Peiskam deinen Profit zu machen, hatte ich gesagt und sie, was mich erstaunte, damit nicht einmal verletzt. Jetzt denke ich, daß sie wahrscheinlich tatsächlich gänzlich auf mich eingegangen war, um mir zuhilfe zu kommen, die grauenhafte, als welche ich sie für mich immer bezeichnete, wenn ich Gelegenheit dazu hatte. Es ist ja schon eineinhalb Jahre, daß du nicht mehr aus Peiskam weg bist, sagte sie mehrere Male. Ich war wütend, weil sie keine Ruhe gab, mich aus Peiskam hinauszubringen. Niemand reist so gern wie du und jetzt sitzt du seit eineinhalb Jahren hier herum und gehst ein! Sie sagte es ganz ruhig, wie ein Arzt, denke ich jetzt. Hier wirst du mit deinem Mendelssohn Bartholdy niemals anfangen können, das garantiere ich dir. Du bist an die Unproduktivität festgenagelt. Einerseits ist Peiskam eine Gruft, andererseits ist es ein fortwährend lebensbedrohender Kerker, sagte sie. Und tatsächlich hatte sie darauf aufeinmal lange Zeit vom Timeo geschwärmt, in welchem sie einmal mit mir gewesen ist vor fünfzehn Jahren, *siehst du sie denn nicht, die Bougainvilleen?* sagte sie. Aber alles, was sie sagte, war mir lästig. Sie redete und redete auf mich ein und dachte nicht daran, abzureisen. Bis es ihr dann doch zu dumm gewesen war, weil sie einsehen mußte, daß ich nicht davon zu überzeugen war, wieder einmal aus Peiskam weggehen zu müssen, um mich zu retten und abreiste. Aber jetzt hatte sie ihren Triumph, jetzt war ich ihren Gedanken gefolgt, hatte aufeinmal mit aller Kraft zugegriffen, ich reise tatsächlich ab, dachte ich. Aber um zu diesem Entschluß und zu diesem Ergebnis, nämlich Palma, zu kommen, mußte *sie* vorher abgereist sein. Jetzt tat ich ihr gegenüber so, als wäre, nach Palma zu reisen, mein Einfall, meine Erfindung, mein Entschluß. Damit belog ich nicht nur sie, was naturgemäß gar nicht möglich war, weil sie mich ja durchschaute, sondern am meisten mich selbst. Du bist und bleibst der Verrückte, dachte ich. Am Abreisetag hatte es zwölf Grad minus noch um acht Uhr früh. Am Vortag war die Kienesberger im Haus gewesen und ich hatte alles notwendige mit ihr besprochen, vor allem, daß sie das Haus nicht auskühlen lassen solle, dreimal wöchentlich, wenn auch nicht übermäßig, so doch ordentlich einheizen, hatte ich zu ihr gesagt, denn es gibt nichts Fürchterlicheres, als in ein vollkommen altes, ausgekühltes Haus zurückzukommen und ich wisse ja nicht, wann ich wieder zurückkäme, ich dachte in drei Monaten, in zwei Monaten, in vier Monaten und sagte zur Kienesberger in drei oder vier Wochen, ich gab ihr den Auftrag, endlich die Fenster zu putzen, wenn die Kälte nachgelassen habe, die Möbel zu polieren, die Wäsche zu waschen etcetera, vor allem bat ich sie, den Hof aufzuräumen und wenn Schnee fällt, ihn möglichst sofort wegzuräumen, damit die Leute glauben müssen, ich sei da und nicht fort, aus diesem Grund hatte ich auch in dem obersten Westzimmer eine sogenannte Zeituhr an einer Lampe installiert, die mehrere Stunden am Abend und in der Frühe Licht macht, das praktiziere ich immer, wenn ich verreise,

ich hatte soviel auf die Kienesberger eingeredet, daß es mich plötzlich vor mir selbst
grauste, denn ich hatte, obwohl ich ihn in
Wirklichkeit ja schon abgebrochen gehabt hatte, meinen eigenen entsetzlichen Redeschwall
noch im Ohr, wie die Hemden zu bügeln und
aufeinanderzulegen seien und die Post zu sta-
peln, die der Briefträger durch das immer offene Fenster auf der Ostseite, im sogenannten
Mostpressenzimmer, hereinwirft, wie sie die
Treppen polieren soll, wie sie die Teppiche
ausklopfen soll, wie sie die überall hinter den
Vorhängen und in diesen tief innen versteckten
Spinnweben entfernen solle etcetera. Daß sie
den Nachbarn nicht sagen solle, wohin ich gereist sei, das ginge niemanden etwas an, daß ich
möglicherweise morgen zurückkomme, jedenfalls meine Rückkehr jeden Augenblick möglich sei, daß sie die Betten abziehen und die
Matratzen lüften und dann alles wieder frisch
beziehen solle etcetera. Und daß sie niemals
und in keinem einzigen Fall, etwas auf meinem
Schreibtisch berühren dürfe, aber das habe ich
schon tausende Male gesagt und sie hatte sich
immer streng an diese meine Anordnung gehalten. Im Grunde ist die Kienesberger jahrelang der einzige Mensch, mit welchem ich
spreche, sage ich mir, wenn das auch tatsäch-

lich maßlos übertrieben und sofort zu widerlegen ist, aber ich habe das Gefühl, sie ist der einzige, mit welchem ich über längere, ja längste Zeit, ohne Übertreibung sehr oft Monate ausgiebigeren Sprechkontakt habe. Sie bewohnt mit ihrem taubstummen (!) Mann ein kleines, ebenerdiges Haus am Waldrand, nicht weit vom Ort und sie hat nur zehn Minuten zu mir zu gehen. Sie ist selbst sprechbehindert und das ist die Gewähr dafür, daß sie nicht schwätzt, aber sie ist von Natur aus keine Schwätzerin, vierzehn Jahre kommt sie zu mir und in diesen vierzehn Jahren hat es keine Mißstimmung gegeben zwischen ihr und mir, jeder Mensch weiß, was das bedeutet. Und oft denke ich, ich habe ja nur diesen einzigen verläßlichen Menschen, sonst niemanden. Und vielleicht ahnt oder weiß sie das auch. Es ist ja nicht so, daß ich ihr andauernd Befehle gebe und Verhaltensmaßregeln, im Gegenteil, sehr selten habe ich einen Wunsch und die meiste Zeit lasse ich sie vollkommen in Ruhe und macht sie, weil das nicht anders möglich ist, bei ihrer Arbeit Lärm, so verlasse ich auf Stunden das Haus, oder ziehe mich für diese Zeit ganz einfach in das sogenannte Jägerhaus zurück. Eine Katastrophe, denke ich, wenn die Kienesberger eines Tages nicht mehr kommt, aus was für einem Grund immer und alle Augenblick kann ein solcher Grund aufeinmal da sein; aber sie weiß wahrscheinlich genauso gut wie ich, was sie an mir hat und umgekehrt, so ist es das günstigste Verhältnis, wenn jeder sich sagen kann, er hat genausoviel von dem andern, der ihn braucht. Sie hat drei Kinder und erzählt manchmal, im Vorhaus stehend, deren Lebensgeschichte, wie sich ihre Nachkommen entwickeln, was für Krankheiten sie haben, welche Torturen sie auszustehen haben in der Schule, was sie beim Schlittenfahren angezogen haben und wann sie einschlafen und wieder aufwachen und was sie am Dienstag und was sie am Samstag zu essen bekommen und wie sie auf alles und jedes reagieren, die Mütter, muß ich mir bei dieser Gelegenheit jedesmal sagen, beobachten ihre Kinder eindringlich, wenn sie solche Mütter sind, wie die Kienesberger und sie verhätscheln sie nicht zuviel und nicht zu wenig, sie erzieht ihre Kinder, indem sie überhaupt nicht über diese Erziehung ihrer Kinder nachdenkt, sie praktiziert auf die ideale Weise, was andere sich erst ausdenken müssen in ihrem Spekulationsfanatismus und scheitert nicht, wo die andern scheitern müssen. Im Gegensatz zu allen früheren Hausbesorgerinnen, die alle nichts anderes, als plumpe Trampel gewesen sind, ist ihre Art die behutsamste. Wo gibt es das noch? frage ich mich. Aus dem Fenster schauend, muß ich mich entschließen, meinen Pelz anzuziehen auf der Reise, warme Unterwäsche und lange Wollstrümpfe, denn niemand ist so leicht verkühlt und gleich darauf schwer krank, wie ich. Seit der *morbus boeck* aufgetreten ist, darf ich mir keine Verkühlung mehr erlauben, obwohl ich jedes Jahr drei oder viermal stark verkühlt und dadurch immer nahe daran bin, einzugehen. Durch das Prednisolon sind meine Abwehrkräfte gleich null. Habe ich mich einmal verkühlt, dauert es viele Wochen, um aus einer solchen Verkühlung wieder herauszukommen. So habe ich vor nichts so Angst, als vor einer Verkühlung. Und ein kleiner Luftzug genügt, um mich für Wochen ins Bett zu werfen, so lebe ich ja auch in Peiskam die meiste Zeit in der Angst, mich zu verkühlen und auch diese bis an den Wahnsinn grenzende Verkühlungsangst ist wahrscheinlich auch mit die Ursache dafür, daß ich so schwer mit irgendeiner längeren Geistesarbeit anfangen kann; wo soviele Ängste aufeinmal in einem Menschen konzentriert sind, ist diesem Menschen alles fortwährend vollkommen am Zerbrechen. Ich ziehe den Pelz an und die wärmste Unterwäsche und die wärmsten Strümpfe, denn ich muß auf die Bahn und in München von der Bahn auf den Flugplatz und wer weiß, sagte ich mir, wie es in Palma ist; als ich vor eineinhalb Jahren im November aus Palma abgeflogen bin, war ein Schneetreiben gewesen und es hatte mich durch und durch gefroren und nach meiner Rückkehr bin ich in Peiskam zwei Monate im Bett gelegen, der Effekt, nach Palma zu fahren, um mich zu erholen, war durch diese Verkühlung mit einem Schlage null und nichtig gemacht, anstatt daß ich frischer und kräftiger zurückgekommen wäre, wie gewünscht und wie ich es auch hatte annehmen müssen, war ich als Todkranker nach Peiskam zurückgekommen und war für die Leute, die mich damals gesehen hatten, nicht wiederzuerkennen gewesen, leider nicht wiederzuerkennen in dem traurigsten Sinne, nicht in dem Sinne, daß ich viel besser ausgeschaut hätte und beisammen gewesen wäre als bei meiner Abreise nach Palma. Den Pelz und die Pelzkappe und den warmen englischen Schal, sagte ich mir. Zwölf Grad minus! ich war erschrocken. Aber wenn es dann den gewünschten Kontrast hat, sagte ich mir, wenn es in Palma, nicht wie hier zwölf Grad minus, zwölf Grad plus hat oder noch viel mehr plus, vielleicht sogar achtzehn oder gar zwanzig Grad, wie in Palma in dieser Jahreszeit, Ende Jänner, durchaus möglich, wird mein Profit um so größer sein, ich sagte absichtlich nicht Freude, wie bei dieser Gelegenheit üblich, sondern Profit, um den Überschwang meines Wunschgefühls einigermaßen im Zaum zu halten. Dann habe ich, bei achtzehn oder zwanzig Grad in Palma meinen Profit sagte ich, sogar ganz im Tonfall meiner Schwester, die dieses Wort Profit so unvergleichlich ausspricht, ich hatte meinen Tonfall beinahe dem ihrigen angenähert, als ich das Wort Profit sagte in bezug auf die Temperatur in Palma, war es mir so vorgekommen, als hätte sie es ausgesprochen in bezug auf ihre Geschäfte. Ach, das gibt wieder einen anständigen Profit! sagt sie ja sehr oft und schweigt im übrigen über das tatsächliche Ausmaß und überhaupt über die Art und Weise, auf welche sie gerade wieder einen Profit gemacht hat. Und wenn es in Palma plötzlich zu warm ist, sagte ich mir, werde ich den Pelz auf den Arm nehmen, nur mit dem Lodenmantel abzureisen, wie ich vorgehabt hatte, kam nicht mehr in Frage. Und ich hängte den Lodenmantel, den ich schon am Vortag aus dem Kasten herausgenommen hatte, wieder in den Kasten hinein und nahm meinen Pelz heraus. Wieviele Pelze ich einmal gehabt habe, dachte ich bei dieser Gelegenheit, aber alle diese Pelze habe ich nach und nach verschenkt, abgestoßen mit Gewalt, sage ich mir, weil mit jedem dieser Pelze irgendeine von mir bereiste Stadt in Zusammenhang war, den einen hatte ich mir in Warschau gekauft, einen andern in Krakau, einen dritten in Split, einen vierten in Triest, immer gerade da, wo es aufeinmal unvorhergesehen kalt geworden war und wo ich geglaubt habe, krank zu werden oder gar ohne Pelz erfrieren zu müssen. Ich verschenkte einen Großteil dieser Pelze an die Kienesberger. Übrig gelassen hatte ich mir nur den Pelz, den ich mir vor zweiundzwanzig Jahren in Fiume gekauft habe, meinen Lieblingspelz. Ich schüttelte ihn aus und legte ihn auf die Kommode. Wielange ich diesen Pelz nicht mehr getragen habe, dachte ich. Er war nicht so kostbar wie die andern, die ich verschenkt habe, er ist schwer, aber er ist mein Lieblingspelz. Jahrelang ist er im Kasten, so riecht er auch, sagte ich mir. Wir lieben ganz bestimmte Kleidungsstücke und trennen uns, auch wenn sie uns schon beinahe vom Leib fallen, weil sie so schütter und schäbig geworden sind, weil wir mit diesen Kleidungsstücken an irgendeine Reise und an eine besonders schöne Reise und ein besonders schönes Erlebnis erinnert sind, davon ungern. So könnte ich ja von allen meinen Kleidungsstücken, die ich noch habe, die meisten habe ich ja abgestoßen, verschenkt, verbrannt, wie immer, eine Geschichte erzählen, eigentlich immer nur eine schöne Geschichte. Die Kleidungsstücke, die an ein trauriges oder gar entsetzliches Erlebnis gebunden waren, habe ich alle nicht mehr, ich trennte mich so rasch als möglich von ihnen, denn ich ertrug es nicht, den Kasten aufzumachen und beispielsweise durch einen, wenn auch kostbaren Schal, an eine Furchtbarkeit erinnert zu sein. Ich behalte seit langem nur Kleidungsstücke, die mich an etwas Erfreuliches erinnern, wenigstens an etwas Angenehmes, aber ich habe nicht wenige, die mich an ein ganz hohes Glückgefühl erinnern und die mir bei ihrem Anblick tatsächlich auch noch nach Jahren, ja nach Jahrzehnten, muß ich mir sagen, höchstes Glück bedeuten. Aber davon wäre tatsächlich ein ganzes Buch zu schreiben. Wenn wir einen geliebten Menschen verlieren, behalten wir doch immer ein Kleidungsstück von ihm wenigstens solange wir den Geruch des Verlorenen noch an ihm wahrnehmen können und tatsächlich bis in unseren Tod hinein, weil wir auch dann noch glauben, sein Geruch machte uns dieses Kleidungsstück gegenwärtig, wenn das auch längst nur mehr noch nichts ist als Einbildung. So habe ich immer noch einen Mantel von meiner Mutter aufbewahrt, aber dieses Geheimnis niemals verraten, niemandem, auch nicht meiner Schwester. Sie würde sich über diese Tatsache nur lustig gemacht haben. Der Mantel meiner Mutter hängt in einem sonst leeren und von mir festverschlossenen Kasten. Aber es vergeht keine Woche, daß ich nicht den Kasten aufmache und an dem Mantel rieche. Ich schlüpfte in den Pelz und stellte fest, daß er paßte. *Noch* paßte, müßte ich mir, nachdem ich mich in ihm vor dem Spiegel gezeigt hatte, sagen, denn ich war in den letzten Jahren wenigstens auf die Hälfte, wie mir vorgekommen war, abgemagert. Der wiederausgebrochene *morbus boeck*, die jährlich sich wiederholenden Verkühlungen, der daraus resultierende allgemeine und permanente Schwächezustand und dann immer wieder der gleiche Rhythmus des Aufgeschwemmtseins durch zuviel Prednisolon und des Abmagerns durch eine dann immer wieder notwendige Prednisoloneinschränkung, ja -absetzung. Ich war jetzt gerade abgemagert und wartete nur darauf, wieder aufgeschwemmt zu sein, denn ich hatte vor zwei Wochen wieder stark mit dem Prednisolon angefangen, ich nahm jetzt acht Stück am Tag. Daß diese Methode, zu überleben, nicht mehr gar so lange durchzuhalten sein wird, war mir jetzt klar. Aber ich verdrängte diesen Gedanken, ich verdrängte ihn, obwohl er ununterbrochen da war, ich verdrängte ihn ununterbrochen, weil er ununterbrochen da war. Ich habe mich daran gewöhnt. Natürlich ist der Pelz aus der Mode gekommen, dachte ich vor dem Spiegel, aber mir war gerade das, daß er aus der Mode gekommen ist, angenehm, andererseits habe ich ja niemals modische Kleidung getragen, verabscheute sie von Anfang an und verabscheue sie auch heute. Er muß mich wärmen, sagte ich mir, wie er ausschaut, ist im Grunde vollkommen gleich, er muß seinen Zweck erfüllen wie alles, alles andere ist gleich. Nein, ich hatte niemals etwas Modisches am Leib, wie ich auch niemals etwas Modisches im Kopf gehabt habe. Da sagten die Leute lieber zu mir, er ist altmodisch, als, er ist modisch oder gar *modern,* das widerliche Wort. Ich hatte mich ja immer höchst wenig um die öffentliche Meinung gekümmert, weil ich immer am allerangestrengtesten mit meiner eigenen zu tun hatte und also für die öffentliche Meinung gar keine Zeit hatte, ich nahm sie mir nicht und ich nehme sie mir auch heute nicht und ich werde sie mir nie nehmen. Es interessiert mich, was die Leute sagen, aber es ist zuallererst überhaupt nicht ernst zu nehmen. So komme ich am besten vorwärts. Ich sehe mich schon in Palma aus dem Flugzeug steigen und der warme Afrikawind weht mir ins Gesicht, sagte ich mir. Und ich hänge den Pelz um die Schultern und habe aufeinmal wieder leichte Füße, einen klaren Verstand etcetera, nicht diese mich zersetzende Hoffnungslosigkeit im Kopf und auf meinem ganzen Körper. Natürlich, auch daß sich alles als ein infamer Trugschluß erweist, ist möglich. Wie oft habe ich das erlebt! Bin abgereist für Monate und nach zwei Tagen wieder zurückgekommen, je mehr Gepäck ich mitgenommen habe, desto schneller bin ich wieder zuhause gewesen, habe ich für mindestens zwei Monate Gepäck mit genommen, bin ich in zwei Tagen wieder zuhause gewesen undsofort. Und habe mich vor allem vor der Kienesberger lächerlich gemacht, der ich gesagt hatte, auf Monate und es waren dann nur zwei Tage, der ich gesagt habe, auf ein halbes Jahr und es waren doch nur drei Wochen. Da schämte ich mich und ging dann tagelang nur mit eingezogenem Kopf in Peiskam hin und her, aber ich schämte mich nur vor der Kienesberger, vor niemandem sonst, denn alle andern sind mir in der Zwischenzeit gleichgültiger als gleichgültig geworden. Dann hatte ich keinerlei Erklärung, denn das Wort *Verzweiflung* wäre ebenso lächerlich gewesen wie das Wort *verrückt*. Damit konnte ich einem Menschen wie der Kienesberger nicht kommen, mit solchen Wörtern kann der Mensch sich selbst kaum überzeugen, geschweige denn eine so schwierige Person, wie die Kienesberger, die alles andere als einfach ist; fortwährend führen alle Leute das Wort vom einfachen Menschen im Mund und niemand ist schwieriger und in Wahrheit komplizierter, als diese sogenannten einfachen Menschen. Ihnen kann man mit solchen Wörtern wie *Verzweiflung* und *verrückt* nicht kommen. Die sogenannten einfachen Menschen, sind in Wahrheit die kompliziertesten und es ist mir immer schwieriger, mit ihnen auszukommen, ich habe in letzter Zeit den Verkehr zu diesen beinahe völlig eingestellt, der Verkehr zu den Einfachen ist mir schon lange nicht mehr möglich, er geht über meine Kräfte, den Einfachen kann ich mit mir nicht mehr kommen. Tatsächlich habe ich den Umgang mit den einfachen Leuten, die, wie gesagt, die allerschwierigsten sind, vollkommen aufgegeben, weil er mir zu anstrengend ist und ich mich nicht über den Umweg der Lüge mit ihnen verständlich machen will. Auch daß die Einfachsten im Grunde die Anspruchsvollsten sind, ist mir auch klar geworden. Niemand ist derartig anspruchsvoll, wie die einfachen Leute und nun bin ich so weit, daß ich sie mir nicht mehr leisten kann. Ich kann mir mich selbst kaum mehr leisten. Ich beschuldige meine Schwester, daß sie abreist für mehrere Wochen oder für Monate und dann womöglich ein paar Stunden später wieder auftaucht und bin genauso, reise für lange Zeit ab und bin zwei Tage später wieder da. Mit allen Konsequenzen, die nur fürchterliche sein können. Beide sind wir so, wir beschuldigen uns der Unmöglichkeiten jahrzehntelang gegenseitig und können diese Unmöglichkeiten nicht aufgeben, diese Sprunghaftigkeiten, diese Launenhaftigkeiten, diese Unbeständigkeiten, aus welchen heraus wir beide, meine Schwester wie ich, existieren, woraus wir immer existiert haben, was allen Leuten immer auf die Nerven gegangen ist, was diese anderen Leute aber genauso immer wieder fasziniert hat und weshalb sie ja auch immer wieder den Umgang mit uns suchten, im Grunde wegen dieser Launenhaftigkeit, Sprunghaftigkeit, Unbeständigkeit, Unzuverlässigkeit, damit zogen wir beide immer alle anderen an. Die Leute suchen die Aufregenden, die Nervösmachenden, die Wankelmütigen, die jeden Augenblick Anderen und meistens jeden Augenblick völlig Umgekehrten. Und das ganze Leben haben wir beide, meine Schwester und ich, uns gefragt, was wir denn wollen und es nicht sagen können, haben wir etwas und schließlich alles nur Mögliche gesucht und nicht gefunden, haben wir immer alles erzwingen wollen und nicht erreicht, oder erreicht und im gleichen Augenblick wieder verloren. Es ist, wie ich denke, ein uraltes Erbe, kein väter- oder mütterliches, ein ururaltes. Aber die Kienesberger ist ja nicht einmal mehr überrascht, wenn sie mich zwei Tage nach meiner Abreise für drei, vier Monate, wieder auspackend im Haus antrifft. Sie ist von nichts mehr, das mich betrifft, überrascht, ein solcher einfacher Mensch und ein solcher unendlich wachsamer Seismograph! denke ich. Aber aufeinmal spricht alles nurmehr für diese Reise und für Palma und für meine Arbeit: hinaus, weg aus Peiskam, tatsächlich, ich getraue es mich gar nicht auszusprechen, während ich es mir doch zu denken getraue, *bis ich diese Arbeit beendet, möglicherweise sogar vollendet* habe. Dieses Aufbrechen aus Peiskam ist mir das verhaßteste. Ich gehe von einem Zimmer ins andere, ich gehe hinunter und wieder hinauf, ich überquere den Hof, ich rüttle an den diversen Türen und Toren, ich prüfe die Fensterriegel und überhaupt alles, das bei einer derartigen Abreise zu prüfen ist und ich weiß, habe ich die Fenster überprüft, nicht mehr, ob die Türschlösser in Ordnung sind, habe ich die Türschlösser überprüft, nicht, ob die Fenster verriegelt sind, dieses abrupte Abbrechen meines Peiskamer Aufenthalts, und ich breche diese Peiskamer Aufenthalte seit Jahrzehnten immer nur abrupt ab, macht mich wahnsinnig und ich bin froh, daß mich bei dieser Gelegenheit niemand sieht, daß es keinen Zeugen gibt meiner totalen äußeren und inneren Zerrüttung. Wie ideal wäre es, wenn ich jetzt im Augenblick an meinem Schreibtisch mit meiner Arbeit anfangen könnte, dachte ich, wie ideal, mich hinzusetzen und den ersten, alles Weitere auslösenden Satz hinschreiben und mich dann wochenlang, vielleicht monatelang nurmehr noch auf diese Mendelssohn Bartholdy-Arbeit konzentrieren und sie vorantreiben und vollenden könnte, *wie ideal, wie ideal, wie ideal,* aber der Schreibtisch ist abgeräumt und ich habe mir mit diesem Abräumen alle Voraussetzungen für einen augenblicklichen Arbeitsbeginn genommen, ich habe mich möglicherweise durch diese abrupten Abreisevereinbarungen und Buchungen etcetera, um alles gebracht, möglicherweise nicht nur um meine Mendelssohn Bartholdy-Arbeit, überhaupt um alles, vielleicht um die allerletzte Chance des Überlebens! Ich hielt mich am Türpfosten meines Arbeitszimmers fest, um mich zu beruhigen, ich kontrollierte meinen Puls, aber ich nahm überhaupt keinen wahr, als ob ich im Moment mein Gehör verloren hätte, war es mir vorgekommen und ich preßte meinen Körper und meinen Kopf so fest an den Türpfosten, daß ich vor Schmerz hätte schreien können. Am Ende, sagte ich mir wieder, noch lange nicht bei klarem Kopf, wenn ich glaube, alles kontrolliert zu haben, vor allem alle Wasserleitungen und die elektrischen, lasse ich mich in den Fauteuil fallen, springe aber sofort wieder auf, weil ich vergessen habe, den Heißwasserspeicher zurückzustellen, was ich von der Kienesberger nicht verlangen kann und ich räume den großen Schmutzwäschekorb aus, um die ganze Schmutzwäsche, Berge in vielen Wochen, wie sich in meiner Lage, in welcher ich tagtäglich mehrere Male total verschwitzt bin, denken läßt, alle diese Wäschestücke außerdem mit dem Geruch der Unmengen von Aldactone saltucin, die ich zur Entwässerung und also zur Entlastung meines Herzens einzunehmen habe, es ekelte mich, als ich diese Wäschestücke aus dem Korb herausnahm, um sie auf den Wäschetisch zu werfen, obwohl oder gerade weil es meine eigene Wäsche war, ich fing, ohne zu merken, daß das möglicherweise auch schon eine Verrücktheit ankündigte, an, alle diese Wäschestücke zu zählen, was naturgemäß ein völliger Unsinn gewesen ist, aber als mir diese Unsinnigkeit zu Bewußtsein gekommen war, hatte ich schon einen Höchstgrad an Erschöpfung erreicht und ich hatte Mühe, zurück in den ersten Stock hinaufzukommen, um mich wieder in meinen Fauteuil zu setzen. Das Unglück der Menschen ist ja, daß sie sich immer für etwas entscheiden, das ganz *gegen* ihren Willen ist letztenendes, und wenn ich es jetzt, im Fauteuil sitzend, genauer betrachtete, war mein abrupter Entschluß, Peiskam hinter mich zu lassen, um nach Palma , in dem ich allerdings die Cañellas in ihrem Palast auf der Borne habe, zu fliegen, aufeinmal vollkommen gegen mich gerichtet, ich verstand meine Entscheidung nicht, aber sie war, das sah ich ein, jetzt, unter allen diesen nun einmal heraufbeschworenen Umständen, nicht mehr rückgängig zu machen, ich mußte weg, wenigstens den

Versuch machen, in Palma an die Arbeit zu gehen, wenigstens den Versuch machen, fortwährend sagte ich mir die Wörter vor, wenigstens den Versuch machen, wenigstens den Versuch machen. Warum habe ich mir denn gerade in den letzten Wochen den Fauteuil mit dem französischen Samt beziehen lassen, wenn ich mich jetzt nicht daraufsetze und den Fauteuil genieße, sagte ich mir, was habe ich von der neuen Schreibtischlampe jetzt, von der neuen Jalousie, wenn ich abreise, möglicherweise in eine neue Hölle? Ich versuchte, während ich mich vergewisserte, ob ich auch tatsächlich alles Notwendige, wenigstens alles unbedingt Notwendige eingepackt habe in meine Koffer und in die kleine großväterliche Reisetasche, ohne die ich niemals reise, mich zu beruhigen, dachte aber gleichzeitig, wie kann ich, in meiner augenblicklichen Verfassung überhaupt auf die Idee kommen, mich beruhigen zu können, es war tatsächlich ein absurder Gedanke von mir, der ich in dem Fauteuil völlig zusammengesunken war und sogar das Gefühl hatte, nicht mehr aufstehen zu können. Und ein solcher ja schon halbtoter Mensch fliegt nach Palma, sagte ich mir mehrere Male vor, wieder halblaut, wie es meine nicht mehr auszumerzende Gewohnheit geworden ist, wie die alten Leute, die jahrelang allein sind und nur noch darauf warten, daß sie endlich sterben können, ich war schon so ein alter Mensch, während ich da im Fauteuil saß, ein Greis, mehr schon auf der anderen Seite, auf der Seite der Gestorbenen, als auf der der Lebenden, ich mußte einen erbärmlichen und ja mit Sicherheit einen erbarmungswürdigen Eindruck gemacht haben auf meinen Beobachter, der nicht da war, wenn ich selbst mich schon nicht als diesen Beobachter meiner selbst bezeichnen will, was aber eine Dummheit ist, denn ich bin mein Beobachter, ich beobachte mich tatsächlich seit Jahren, wenn nicht seit Jahrzehnten ununterbrochen selbst, ich lebe nurmehr noch in der Selbstbeobachtung und in der Selbstbetrachtung und naturgemäß dadurch in der Selbstverdammung und Selbstverleugnung und Selbstverspottung. Ich lebe jahrelang in diesem Zustand der Selbstverdammung, der Selbstverleugnung und der Selbstverspottung, zu welcher ich letztenendes immer Zuflucht nehmen muß, um mich zu retten. Nur frage ich mich die ganze Zeit: vor was retten? Ist das denn wirklich so schlimm, vor welchem ich mich andauernd retten will? Nein, es ist nicht so schlimm, sagte ich mir und ich setzte gleich wieder meine Selbstbeobach-

tung und Selbstverleumdung und Selbstverspottung fort. Ich will ja nichts anderes, als den
Zustand, in welchem ich mich befinde, der direkt aus der Welt hinausführt, wie ich dachte,
was ich mich aber tatsächlich nicht zu mir
selbst zu sagen getraute, hinausziehen, ich
spiele mit diesem Zustand und ich spiele solange mit diesem Zustand, wie ich will. Solange, wie ich will, sagte ich mir jetzt vor und
dann horchte ich, hörte aber nichts. Die Nachbarn, dachte ich, halten mich seit vielen Jahren
für einen Verrückten, diese Rolle, denn eine
solche ist es in dem ganzen mehr oder weniger
unerträglichen Theater, ist mir erstklassig auf
den Leib geschneidert. Solange ich will, sagte
ich wieder zu mir, ich hörte mich aufeinmal
gern sprechen, was etwas Neues war im
Augenblick, denn ich haßte schon jahrelang
meine Stimme, verabscheute mein Organ. Wie
kann ich auch nur einen Augenblick daran
denken, mich zu beruhigen, dachte ich, wenn
alles in mir so voller Aufregung ist? Und ich
versuchte es mit einer Schallplatte, mein Haus
hat die beste Akustik, die sich denken läßt und
ich füllte es an mit der Haffnersymphonie. Ich
setzte mich und machte die Augen zu. Was
wäre alles ohne die Musik, ohne Mozart! sagte
ich mir. Immer wieder ist es die Musik, die

mich rettet. Indem ich mir immer wieder selbst mit geschlossenen Augen das mathematische Rätsel der Haffnersymphonie löste, was mir immer das größte aller Vergnügen gemacht hat, beruhigte ich mich tatsächlich. Gerade Mozart ist für meine Arbeit über Mendelssohn Bartholdy der wichtigste, aus Mozart erklärt sich mir alles, denke ich, ich muß von Mozart ausgehen. Habe ich der Kienesberger das ihr zustehende Geld gegeben? Ja. Habe ich auch alle Medikamente eingepackt? Ja. Habe ich alle notwendigen Bücher und Schriften eingepackt? Ja. Habe ich das Jägerhaus inspiziert? Ja. Habe ich meiner Schwester gesagt, daß sie mir den Betrag für das Tapezieren ihres Zimmers in Peiskam, den ich ursprünglich von ihr gefordert habe, nicht bezahlen muß? Ja. Habe ich dem Gärtner gesagt, wie er die Bäume zu beschneiden hat im Jänner? Ja. Habe ich dem Internisten gesagt, daß ich jetzt auch in der Nacht auf der rechten, nicht nur auf der linken Seite des Brustkorbs Schmerzen habe? Ja. Habe ich der Kienesberger gesagt, daß sie die ostseitigen Jalousien nicht aufmachen soll? Ja. Habe ich ihr gesagt, daß sie zwar heizen soll während meiner Abwesenheit, aber nicht alles *über*heizen? Ja. Habe ich den Schlüssel zum Jägerhaus abgezogen? Ja. Habe ich die Tape-

ziererrechnung bezahlt? Ja. Ich fragte mich
und ich antwortete mir. Aber die Zeit wollte
nicht vergehen. Ich stand auf und ging ins Vorhaus hinunter und begutachtete meine Koffer,
ob sie auch fest genug verschlossen sind, wollte
ich wissen und kontrollierte die Verschlüsse.
Warum tue ich mir alles das an? fragte ich
mich. Ich setzte mich in das untere Ostzimmer
und betrachtete das Bild meines Onkels, der
einmal Botschafter in Moskau gewesen war,
wie auf dem Bild ersichtlich. Gemalt von
Lampi, hat es auch einen höheren künstlerischen Wert, als ich ursprünglich angenommen
habe. Ich liebe dieses Bild, mein Onkel erinnert mich an mich. Aber er ist älter geworden,
als ich werde, dachte ich. Ich hatte schon
meine Reiseschuhe an, alles an mir war mir zuviel, alles war mir zu eng und zu schwer. Und
dann auch noch den Pelz, dachte ich. Wäre es
nicht besser, sich in den Voltaire zu vertiefen,
wie ich vorgehabt habe, in den geliebten Dide-
rot, als aufeinmal wegzugehen und alles, das
mir im Grunde so lieb ist, zu verlassen. Ich bin
ja nicht der gefühllose Mensch, als der mich so
mancher sieht, weil er mich so sehen will, weil
ich mich sehr oft auch so zeige, weil ich mich
sehr oft auch nicht so zu zeigen getraue, wie
ich bin. Aber wie bin ich? Die Selbstspekula-

tion hatte mich wieder eingeholt. Ich weiß nicht, wieso, aber aufeinmal dachte ich, daß ich vor fünfundzwanzig Jahren, also so knapp über zwanzig, Mitglied der sozialistischen Partei gewesen bin. Es war zum Lachen! Meine Mitgliedschaft hat nicht lange gedauert. Wie alles andere auch, hatte ich sie nach ein paar Monaten aufgekündigt. Daß ich einmal Mönch werden wollte! Daß ich tatsächlich einmal den Gedanken gehabt habe, katholischer Priester zu werden! Und daß ich einmal achthunderttausend Schilling für die Hungernden in Afrika gespendet habe! Und daß das wahr ist! Zu seiner Zeit empfand ich alles das als folgerichtig, als selbstverständlich. Heute habe ich dazu nicht mehr die geringste Beziehung. Daß ich einmal glaubte, mich verehelichen zu können! Kinder zu haben! Vielleicht Militär! habe ich sogar einmal gedacht, General, Generalfeldmarschall, wie einer meiner Vorfahren! Absurd. Es gibt nichts, für das ich nicht einmal alles gegeben hätte, sagte ich mir. Aber alle diese Spekulationen haben sich, wenn schon nicht in Nichts, so doch in der Lächerlichkeit aufgelöst. Armut, Reichtum, Kirche, Militär, Parteien, Fürsorgeeinrichtungen, alles lächerlich. Geblieben ist mir letztenendes nur meine eigene Armseligkeit, aus welcher nicht mehr allzuviel herauszuholen ist. Aber es ist gut so. Keine Lehre verfängt mehr, alles, das gesagt und gepredigt wird, fällt der Lächerlichkeit anheim, dazu ist nicht einmal mehr mein Hohn notwendig, nichts mehr, gar nichts. Wenn wir die Welt wirklich kennen, ist sie nurmehr noch eine solche voller Irrtümer. Aber wir trennen uns doch ungern von ihr, weil wir trotz allem ziemlich naiv und kindlich geblieben sind, dachte ich. Wie gut, sagte ich mir, daß ich den Augendruck habe messen lassen. Achtunddreißig! Wir dürfen uns nichts vormachen. Wir können in jedem Augenblick umkippen. Immer mehr Träume, in welchen die Menschen fliegen, zum Fenster hinaus und wieder herein, schöne Menschen, Gewächse, die ich vorher nie gesehen habe, die riesigen Blätter, so groß wie Regenschirme. Wir treffen alle Vorsichtsmaßnahmen, aber nicht für das Leben, für das Sterben. Es war ein plötzlicher Entschluß, meinem Neffen neunhunderttausend zu geben, um auch diese Tatsache jetzt einzugestehen, damit er sich, wie er sagt, eine den heutigen Verhältnissen angepaßte Praxis einrichten kann. Was ist den heutigen Verhältnissen angepaßt? Es war einerseits ein Unsinn, ihm diesen doch ziemlich hohen Betrag zu schenken für nichts, andererseits, was machen wir mit dem

Geld? Wenn meine Schwester daraufkommt, daß ich die Grundstücke in Ruhsam verkauft habe, bin ich ja nicht mehr da. Dieser Gedanke beruhigt mich. Ich habe den Voltaire eingepackt, dachte ich und den Dostojevski, eine gute Entscheidung. Früher habe ich zu den einfachen Leuten, die ich seit langem nur die sogenannten einfachen Leute nenne, einen recht guten Kontakt gehabt, ich habe sie beinahe täglich aufgesucht, aber die Krankheit hat alles verändert, jetzt suche ich sie nicht mehr auf, jetzt fliehe ich sie, wo ich kann, verberge mich vor ihnen. Abreisen macht traurig, dachte ich dazwischen. Die sogenannten einfachen Leute, wie zum Beispiel die Holzfäller, hatten mein Vertrauen, sie hatten ihr Zutrauen mir gegenüber. Ich verbrachte halbe Nächte bei den Holzfällern. Jahrzehnte hatten nur sie meine Sympathie! Sie sehen mich gar nicht mehr. Und in Wahrheit drängen wir, die wir im Grunde für alles Einfache ruiniert sind, uns diesen Leuten nur auf, wir nehmen ihnen nur die Zeit, wenn wir mit ihnen zusammen sind, nützen ihnen nicht, schaden ihnen nur. Ich würde ihnen jetzt doch nur alles das ausreden, woran sie hängen, an der sozialistischen Partei beispielsweise oder an der katholischen Kirche, beides heute wie immer skrupellose Vereine zur Ausbeutung der Menschen. Aber es ist grundfalsch, zu sagen, nur der im Geist Schwache wird ausgenützt, alle werden sie ausgenützt, das ist andererseits wieder beruhigend, es ist der Ausgleich, vielleicht geht es nur so weiter. Wenn ich die ekelhaften Zeitungen, die bei uns erscheinen, die gar keine Zeitungen sind, nur Schmutzblätter, die von geldgierigen Emporkömmlingen herausgegeben werden, nicht mehr lesen muß, wenn ich das, was mich hier umgibt, nicht mehr sehen muß! sagte ich mir. Ein Trugschluß, wie ich jetzt sehe, folgte, während ich in meinem Fauteuil saß bis zur Abreise, dem andern. Ich verlasse ja ein vollkommen ruiniertes Land, ein widerwärtiges Staatsgebilde, vor welchem einem an jedem Morgen graust. Zuerst haben es die sogenannten Konservativen ausgebeutet und weggeworfen, jetzt die sogenannten Sozialisten. Ein renitenter, perfider Dummkopf als alter Kanzler, größenwahnsinnig, unberechenbar, gemeingefährlich. Wenn ein Mensch sagt, die Tage sind gezählt, macht es ihn lächerlich. Warum habe ich eigentlich niemandem mehr geschrieben, mich auch aus meiner Korrespondenz zurückgezogen?, früher habe ich, wenn auch nicht unbedingt gern, so doch regelmäßig geschrieben. Ganz unbewußt geben wir alles auf und es ist weg. War es mein zunehmend sich verschlimmernder Zustand, der meine Schwester solange in Peiskam hat ausharren lassen, nicht, wie ich glaubte, ihr sie aufeinmal langweilendes Wien? Fragte ich sie, hätte ich eine ihrer charmanten Lügen auf dem Kopf. Pred-ni-so-lon, ich sagte es ein paarmal ganz langsam und so, wie ich es gerade hier aufgeschrieben habe, vor mich hin. Die Ärzte gehen nicht viel tiefer, als bis in die Oberfläche. Sie versäumen immer alles, genau das, das Versäumen, werfen sie aber fortwährend ihren Patienten vor. Die Ärzte haben kein Gewissen, sie verrichten nur ihre medizinische Notdurft. Aber wir fliehen doch immer wieder zu ihnen, weil wir nicht an diese Tatsache glauben können. Wenn ich diese Koffer auch nur die kürzeste Strecke selbst trage, kann das mein Ende sein, sagte ich mir. Wir rufen wie in alter Zeit sozusagen das Wort *Träger,* aber es gibt keinen mehr. Die Träger sind ausgestorben. Packe jeder seine Sachen wie er will. Die Welt ist um einige Grade, ich will nicht genau ausrechnen, um wieviele, kälter geworden, die Menschen sind viel grausamer, rücksichtsloser. Aber das ist alles ein vollkommen natürlicher Verlauf, mit dem wir haben rechnen müssen und den wir, weil wir nicht dumm sind, vorausgesehen haben. Die

Kranken verbünden sich aber nicht gern mit den Kranken und die Alten nicht gern mit den Alten. Sie rennen voreinander davon. Ins Verderben. Jeder will leben, keiner tot sein, alles andere ist Lüge. Am Ende sitzen sie im Fauteuil, in irgendeinem Ohrensessel und phantasieren sich eine Existenz zusammen, die sie existiert haben und die doch nicht das geringste mit ihrer eigenen Existenz zu tun hat. Es müßte nur glückliche Menschen geben, alle Voraussetzungen dazu sind da, aber es gibt nur unglückliche. Wir begreifen das erst spät. Solange wir jung sind und uns nichts weh tut, glauben wir nicht nur an das ewige Leben, wir haben es. Dann der Bruch, dann der Zusammenbruch, dann die Lamentation darüber und das Ende. Es ist immer dasselbe. Einmal habe ich Lust gehabt, das Finanzamt zu betrügen, nicht einmal mehr dazu habe ich Lust, sagte ich mir. Ich lasse mir von jedem, der es will, in die Karten schaun. Im Augenblick denke ich so. In *diesem* Augenblick. Die Frage ist eigentlich nur, wie wir möglichst schmerzfrei den Winter überstehen. Und das noch viel grausamere Frühjahr. Und den Sommer haben wir immer gehaßt. Der Herbst bringt uns dann wieder um alles. *Dann ließ sie den entzückendsten Busen sehen, den die Welt je gesehen hatte,*

Zadig. Ich weiß nicht, warum mir dieser Satz gerade einfiel und mich zum Lachen brachte. Es ist auch nicht notwendig, allein daß ich völlig unvorhergesehen lachte, ist entscheidend. Über einen Gegenstand, unter welchem ich mich nicht zu schämen brauchte. Wir kommen periodisch in Erregungen hinein, die manchmal wochenlang anhalten können und nicht abzustellen sind, aufeinmal sind sie weg, wir existieren schon längere Zeit in einer Beruhigung. Aber wir können nicht mit Bestimmtheit sagen, wann die Beruhigung eingesetzt hat. Es hatte jahrelang genügt, zu den Holzfällern zu gehn und sich mit ihnen über ihre Arbeit zu unterhalten. Warum genügt es jetzt schon lange nicht mehr? Zwei Stunden geradeaus und wieder zurück im Winter, tagtäglich, eine Kleinigkeit, alles heute unmöglich, dachte ich. Die billigen Methoden haben sich alle abgenützt, Besuche, Zeitunglesen etcetera, auch die Lektüre der sogenannten höheren Literatur hat nicht mehr die Wirkung, die sie einmal gehabt hat. Wir fürchteten aufeinmal das Geschwätz, vor allem das, das die sogenannten bekannten und berühmten, aber um so widerlicheren Journalisten des Feuilletons ununterbrochen schwätzen. Und von diesem widerlichen Geschwätz haben wir uns jahrelang, jahrzehntelang zudecken lassen. Allerdings bin ich nie in die Lage gekommen, meine Hose versetzen zu müssen, um ein Telegramm aufgeben zu können, wie Dostojevski, was vielleicht doch ein Vorteil gewesen ist. Relativ unabhängig, könnte ich sagen. Und doch wie alle gefesselt und gefangen. Mehr vom Ekel getrieben, als von der Neugierde besessen. Wir redeten immer vom klaren Verstand, hatten aber nie einen, ich weiß nicht, woher ich den Satz habe, vielleicht von mir selbst, aber irgendwo habe ich ihn gelesen, vielleicht findet er sich einmal unter meinen Notizen. Wir sagen Notizen, um uns nicht genieren zu müssen, obwohl wir insgeheim glauben, daß diese von uns ganz verschämt als Notizen bezeichneten Sätze, mehr sind. Aber wir glauben von allem, das uns betrifft, immer, daß es mehr ist. Daran hanteln wir uns über den Abgrund, von welchem wir auch nicht wissen, wie tief er ist. Das ist auch gleich, wenn er in jedem Fall tödlich ist, was wir wissen. Ich hatte früher immer Fragen gestellt an die Andern, so lange ich zurückdenken kann, die erste Frage mit Sicherheit an meine Mutter, die Eltern schließlich mit Fragen an den Rand des Wahnsinns gebracht, plötzlich fragte ich nurmehr noch mich selbst und auch nur dann, wenn ich mir sicher war, daß ich schon eine Antwort auf meine Frage parat habe. Jeder einzelne ist ein Virtuose auf seinem Instrument, alle zusammen eine unerträgliche Kakophonie. Dieses Wort *Kakophonie* war übrigens das Lieblingswort meines Großvaters mütterlicherseits. Und das Wort, das er am meisten und am tiefsten haßte, war das Wort *Denkanstöße*. Eines seiner Lieblingswörter war übrigens das Wort *Charakter*. Zum erstenmal war mir, während dieser Überlegungen, aufgefallen, wie ungemein bequem mein Fauteuil in Wahrheit ist, vor drei Wochen noch ein Gerümpel, ist er jetzt, nachdem er beim Tapezierer gewesen ist, ein Luxusstück. Aber was habe ich davon, wenn ich jetzt wegfahre. Innerlich wehrte ich mich schon ganz gewaltig gegen meine Abreise. Aber ich konnte sie tatsächlich nicht mehr rückgängig machen. Und dann wollte ich auch wieder nicht gerade dem augenblicklichen Gefühl, doch an Peiskam zu hängen, in Wirklichkeit alles andere nur als lästig zu empfinden, als beschwerlich, nutzlos, nachgeben. Ein Paar schwarze und ein Paar braune Schuhe, sagte ich mir und ein Paar für absolutes Unwetter. Wenn ich am Molo entlanglaufe, was ich immer gern getan habe. Aber an Laufen war natürlich gar nicht zu denken. Du wirst ganz langsam zum

Molo hinuntergehen und deine Beobachtungen machen und sehen, wie weit du kommst. Die ersten Tage eines solchen radikalen Klimawechsels sind die gefährlichsten, übernehmen darfst du dich nicht, sagte ich mir. Die Leute, wie ich es selbst mit Schrecken erlebt habe, kommen um neun Uhr früh an, stellen sich unter die Dusche und laufen auf eine Tennispartie, fallen tot um und sind um zwei Uhr nachmittag schon auf dem Friedhof. Der Süden beseitigt die Toten sofort. Alles langsam, langsam aufstehen, langsam frühstücken, langsam in die Stadt gehen, aber am besten am ersten Tag nicht gleich in die Stadt, nur zum Molo hinunter. Ich atmete jetzt tief ein und richtete mich so hoch als möglich auf und ließ mich dann aus Erschöpfung in den Fauteuil fallen. So alt wir sind, wir erwarten immer noch eine Wendung, sagte ich mir, immer wieder eine entscheidende Wendung, weil wir vom klaren Verstand weit entfernt sind. Alle diese entscheidenden Wendungen liegen Jahrzehnte zurück, nur haben wir sie damals nicht als solche entscheidende Wendungen wahrgenommen. Die Freunde von früher, sind entweder tot und haben ein unglückliches Leben gelebt, sind verrückt geworden, bevor sie gestorben sind, oder leben irgendwo und gehen mich nichts mehr an. Alle haben sich in ihre Idee verrannt und sind inzwischen alt geworden, haben im Grunde, auch wenn sie, wie ich weiß, noch da und dort wild herumschlagen, aufgegeben. Treffen wir sie, reden sie, als wäre keine Zeit vergangen in den letzten Jahrzehnten und reden also ins Leere. Es hat eine Zeit gegeben, in welcher ich tatsächlich Freundschaften, wie gesagt wird, gepflegt habe. Aber das alles ist irgendwann einmal abgerissen und außer, daß ich ab und zu etwas von dem einen oder anderen, den ich einmal für unentbehrlich gehalten habe, etwas in der Zeitung lese, irgendeine Dummheit, eine Geschmacklosigkeit, höre ich von ihnen nichts mehr. Fast alle haben eine Familie gegründet, wie gesagt wird, ihre Geschäfte gemacht und sich Häuser gebaut und sich in alle Richtungen abzusichern versucht und sind im Lauf der Zeit uninteressant geworden. Ich sehe sie nicht mehr und wenn, so haben wir uns nichts mehr zu sagen. Der eine pocht ununterbrochen darauf, daß er Künstler sei, ein anderer, Wissenschaftler, ein dritter ein erfolgreicher Kaufmann, dabei wird mir schon schlecht, wenn ich sie nur sehe und noch lange bevor sie den Mund aufmachen, aus welchem nur Banales und immer wieder nur Angelesenes und nichts Eigenes herauskommt. Es ist unvorstellbar, daß dieses Haus einmal auch voller Leute gewesen ist, die *ich selbst* eingeladen habe und die sich hier durch ganze lange Nächte durchgetrunken und durchgegessen und durchgelacht haben. Daß ich Gesellschaften nicht nur geliebt, sondern auch gegeben habe, daß ich mich wirklich an solchen Gesellschaften habe amüsieren können. Aber das ist solange her, daß davon keine Spuren mehr zu erkennen sind. Dieses Haus schreit ja nach Gesellschaft! hat meine Schwester erst kürzlich ausgerufen. Du hast es zu einer Gruft gemacht! Ich verstehe gar nicht, wie du dich in eine solche entsetzliche Richtung hinein hast entwickeln können. Es war, obwohl pathetisch gesagt, ernstgemeint und traf mich sogar ins Innerste. Heute gingen mir alle diese Menschen nurmehr noch auf die Nerven. Und tatsächlich war ich es, der alle diese Leute jahrelang unterhalten und sogar belehrt hat, aber vergeblich. Am Ende halten sie einen für einen Narren. Ich weiß nicht, war die Krankheit zuerst da, oder meine plötzliche Abneigung gegen jede Art von Gesellschaft, hatte ich zuerst die Abneigung dagegen und hat sich aus dieser Abneigung meinerseits heraus die Krankheit entwickeln können oder war die Krankheit zuerst und aus dieser Krankheit entwickelte sich meine Abneigung gegenüber dieser Gesellschaft und gegen diese Gesellschaften und gegen die Gesellschaft überhaupt, ich weiß es nicht. Hatte ich sie vertrieben alle diese Leute, oder hatten sie sich von mir zurückgezogen? Ich weiß es nicht. Hatte ich den Verkehr mit ihnen eingestellt oder umgekehrt? Ich weiß es nicht. Ich hatte ja einmal die Idee gehabt, über diese Leute zu schreiben, aber dann gab ich den Gedanken auf, er war mir zu unsinnig. Einmal denken wir über diese Leute wirklich nach und hassen sie auf einmal, wir können nicht anders, als sie hassen und entfernen sie oder umgekehrt, weil wir sie von einem Augenblick auf den andern ganz deutlich sehen, müssen wir uns von ihnen zurückziehen, oder umgekehrt. Jahrzehntelang war ich ja in dem Glauben gewesen, daß ich gar nicht allein sein kann, daß ich alle diese Leute brauche, aber in Wirklichkeit brauche ich alle diese Leute nicht, ich bin gut ohne sie ausgekommen. Sie kommen ja nur, um sich zu entlasten und ihr ganzes Elend und ihren ganzen Kummer und den damit verbundenen Schmutz auf mich abzuladen. Wir glauben, wenn wir sie einladen, sie bringen uns etwas mit, naturgemäß etwas Erfreuliches oder Erfrischendes, aber sie nehmen uns nur alles, was wir haben, weg. Sie drängen uns in unserem eigenen Haus in irgendeinen Winkel, aus welchem es schließlich kein Entkommen mehr gibt und saugen uns auf die rücksichtsloseste Weise aus, bis nichts mehr in uns ist, als der Ekel über sie; dann verabschieden sie sich und lassen uns stehen und mit allen unseren Fürchterlichkeiten wieder allein. Indem wir sie uns ins Haus holen, holen wir ja doch nur unsere Peiniger ins Haus, aber wir haben keine andere Wahl, als uns immer wieder gerade die ins Haus kommen zu lassen, die uns vollkommen ausziehen und wenn wir dann nackt vor ihnen stehen, auslachen. Wer so denkt, darf sich natürlich nicht wundern, daß er sich mit der Zeit vollkommen isoliert, daß er eines Tages gänzlich allein dasteht, und was das heißt, in der letzten und allerletzten Konsequenz! Wir ziehen das ganze Leben lang immer wieder einen Schlußstrich, obwohl wir wissen, daß wir dazu gar nicht in der Lage sind. Wenn wir diese Krankheit haben, fällt uns auf, daß alle Leute viel zu laut sind. Und es nicht merken! Sie brutalisieren alles. Sie stehen laut auf und gehen den ganzen Tag laut umher und legen sich auch wieder laut nieder. Und sie reden ununterbrochen viel zu laut. Sie sind so von sich eingenommen, daß sie gar nicht merken, daß sie den

Andern, den Kranken, fortwährend verletzen, alles, das sie tun, alles das sie sagen, verletzt Unsereinen. So drängen sie den Kranken mehr und mehr in den Hintergrund, bis er gar nicht mehr wahrgenommen wird. Und der Kranke zieht sich selbst in *seinen* Hintergrund zurück. Aber jedes Leben, jede Existenz gehört nur einem und zwar diesem einzigen und kein anderer hat das Recht, irgendein solches Leben und eine solche Existenz zu verdrängen, abzudrängen, hinauszudrängen aus dem Leben. Wir gehen ganz von selbst, wozu wir wieder ein Recht haben. Naturgemäß. Ich habe den entscheidenden einzigen möglichen Zeitpunkt, nämlich als meine Eltern tot waren, übersehen, ich hätte, wie meine Schwester, Peiskam den Rücken kehren sollen, tatsächlich, ich hätte es verkaufen sollen und mich *dadurch retten,* aber ich hatte nicht die Kraft dazu, jahrelange Niedergeschlagenheit nach dem Tod der Eltern hat es mir unmöglich gemacht, überhaupt irgendeine Initiative zu ergreifen, nicht einmal ein Studium habe ich anfangen können, ja, ich habe mehrere Studien angefangen, *gleichzeitig mehrere* und bin in allen diesen Studien gleich, wie ich es hätte voraussehen können, gescheitert. Ein mathematisches Studium hatte ich mir eingeredet, ein philosophisches, aber bald hatte mich die Mathematik, bald hatte mich die Philosophie abgestoßen, wenigstens die Mathematik, die auf der Universität gelehrt wird, die Philosophie, die dort gelehrt wird und die ja gar nicht gelehrt werden kann. Dann war es auf einmal die Musik gewesen, die mich im wahrsten Sinne des Wortes begeistert hat und der ich mich kopfüber ausgeliefert habe. Ich stand von meinem Fauteuil auf und schaute auf die Uhr und setzte mich wieder, unfähig, noch irgend etwas vor meiner Abreise zu tun, also ließ ich mich gleich wieder in diese Phantasien fallen. Die Universitäten hatten mich abgestoßen, ich hatte mich an mehreren einschreiben lassen, das war selbstverständlich gewesen bei meinem Vater, aber ich hatte sie alle nur die kürzeste Zeit aufgesucht, Wien, Innsbruck, schließlich Graz, das mir zeitlebens verhaßte, hatte ich in dem absoluten Willen, dort ein Studium anzufangen und zu beenden, aufgesucht und war schon von Anbeginn an gescheitert. Einerseits, weil mir diese Universitäten mit ihrem jahrhundertelang abgestandenen Wissensbrei sofort den Magen und gleichzeitig natürlich den Kopf verdorben haben, andererseits, weil ich alle diese Städte nicht ausgehalten habe, Innsbruck nicht, Graz nicht, Wien auf die Dauer nicht. Alle diese Städte, die ich naturgemäß auch schon vorher, wenn auch nicht gründlich, gekannt habe, deprimierten mich auf das Niederschmetterndste und es sind ja auch, vornehmlich Graz, widerwärtige Provinznester, jede für sich hält sich für den Nabel der Welt und glaubt, den Geist gepachtet zu haben, ja, aber es ist nur der ganz primitive Kleinbürgergeist; die Abgeschmacktheit Philosophie lehrender und Literatur betreibender Schrebergärtner habe ich in diesen Städten kennengelernt, nichts sonst und der üble Geruch bornierter Gemeinheit in diesen österreichischen Kloaken hat mir von vornherein den Appetit auf einen längeren, als nur den kürzesten Aufenthalt verdorben. Und in Wien wollte ich auch nicht länger als unbedingt notwendig sein. Aber, um die Wahrheit zu sagen, verdanke ich doch der Stadt Wien, daß ich auf die Musik gekommen bin, auf das Alleridealste, muß ich sagen. So sehr ich diese Stadt verachte und verdamme und so widerwärtig sie mir die meiste Zeit immer gewesen ist, ihr verdanke ich schließlich den Zugang zu unseren Komponisten, zu Beethoven, zu Mozart, zu Wagner selbst und natürlich Schubert, den zwischen gerade diesen aufgezählten zu nennen, mir allerdings schwer fällt, und ich verdanke natürlich vor allem die neuere und neueste Musik dieser Stadt, von welcher mein Vater nur als von der unverschämtesten gesprochen hat. Schönberg, Berg, Webern etcetera. Und daß ich in meinen beinahe zwanzig Wiener Jahren durch und durch der Stadtmensch geworden bin, der ich dann immer zu sein hatte, ob ich wollte oder nicht, meine Wiener Jahre, zuerst mit meiner Schwester zusammen, dann allein, zuerst in der Inneren Stadt, im Hause meines Döblinger Onkels, in der Hasenauerstraße, wo ich ein ganzes Haus für mich hatte, meine Wiener Jahre hatten mich für Peiskam endgültig verdorben. Mir Peiskam im Grunde unmöglich gemacht. Ich war ja nie der Naturmensch gewesen, der für ein Leben in Peiskam notwendig ist. Aber die Krankheit hat mich schließlich aus den Konzertsälen heraus nach Peiskam zurückgetrieben, meiner Lunge wegen habe ich mich von Wien und das hieß, von allem, das mir etwas wert gewesen war damals, zu trennen gehabt. Diese Trennung habe ich nie überwunden. Aber wäre ich in Wien geblieben, hätte ich nurmehr noch die allerkürzeste Zeit zu existieren gehabt. Peiskam war beinahe zwanzig Jahre nach dem Tod unserer Eltern leergestanden, es war der Natur überlassen gewesen. Niemand hatte geglaubt, in Peiskam könne jemals wieder ein Mensch einziehen, aber eines Tages war ich doch wieder eingezogen, hatte die Fenster aufgerissen in allen Richtungen und nach Jahren zum erstenmal wieder frische Luft in das Haus hereingelassen und es mit der Zeit bewohnbar gemacht. Aber es blieb mir fremd, wenn ich ehrlich bin, bis heute, dachte ich. Ich hatte gerade in dem Augenblick auf Wien und was alles das für mich bedeutete, nämlich alles, zu verzichten gehabt, in welchem ich glaubte, ein für allemal untrennbar mit dieser Stadt verbunden zu sein, die ich zwar damals schon und, wie ich weiß, immer schon gehaßt, gleichzeitig aber wie keine zweite geliebt habe. Ich neide ja heute nur meiner Schwester, daß sie in Wien leben kann, das ist es, was mich gegen Wien fortwährend aufbringt, der Neid, was mich gegen meine Schwester zu den allergrößten Ungerechtigkeiten und letztenendes sogar Gemeinheiten hinreißen läßt, mein Neid, daß sie in Wien leben kann und noch dazu auf die, wie ich weiß, angenehmste und glücklichste Weise, nicht ich. Wenn überhaupt irgendwo, so denke ich immer, dann nur in Wien, in keiner anderen Stadt der Welt, aber ich habe mir Wien verrammelt, endgültig unmöglich gemacht. Und ich verdiene diese Stadt nicht mehr, dachte ich. Und zum allererstenmal hatte ich in

Wien ein Stück von Mendelssohn Bartholdy gehört, nämlich *Die wandernden Komödianten* im Musikvereinssaal, ein Stück und eine Aufführung, die eine elementare Wirkung auf mich gehabt haben. Damals hatte ich noch nicht gewußt, warum dieses Stück so eindringlich gewesen war, heute weiß ich es. Wegen der genialen Unvollkommenheit. Aber es war einmal sogar die Idee in mir aufgetaucht, auf die Montanistische Hochschule in Leoben zu gehen, nicht weil ich mich vielleicht aufeinmal für die Bodenschätze interessiert hätte, sondern wegen der Lage von Leoben, das in den steiermärkischen Bergen und damals wenigstens noch wegen seiner besonders guten Luft bekannt war, die aber heute genauso verpestet ist wie überall. Denn schon als ich noch nicht zwanzig gewesen war, hatten mir die Ärzte dringend geraten, ein Landleben zu führen und kein Stadtleben, aber lieber wäre ich damals gleich auf was für eine Weise in der Stadt gestorben, als daß ich aufs Land gegangen wäre. Die Idee, in Leoben zu studieren, war ja auch nur ein einzigesmal aufgetaucht, allerdings, ich bin nach Leoben gefahren, um über die Möglichkeiten eines montanistischen Studiums mehr als ich darüber schon wußte, in Erfahrung zu bringen, aber schon gleich wie ich in

Leoben aus dem Zug gestiegen bin, hatte mich der Ort abgestoßen. In einem solchen Ort kannst du nur zugrunde gehen, aber nicht einen Tag länger existieren als notwendig, hatte ich mir damals gesagt und ich hatte es ja tatsächlich nicht notwendig gehabt, auch nur einen Tag in Leoben zu sein und bin auch denselben Tag wieder nach Wien zurückgefahren, von wo aus ich Leoben in Augenschein hatte nehmen wollen. Schon als ich über dem Semmering gewesen war, hatte mich ein Gefühl der Bedrückung erfaßt, in meinem Kopf und in meinem ganzen Körper. Wie es überhaupt Leute gibt, die es in solchen Kleinstädten wie Leoben aushalten, hatte ich damals gedacht und ein paar Hunderttausende existieren schließlich allein in unserem Land widerspruchslos ihr ganzes Leben in solchen Nestern wie Leoben. Aber die Idee, eventuell ein Studium in Leoben anzugehen, war ja im Grunde nicht zuallererst von mir ausgegangen, diese Idee hatte mein Großvater mütterlicherseits gehabt, der selbst einmal die Montanistik studiert hatte, allerdings nicht in Leoben, sondern in Padua, was sicher ein immenser Unterschied ist. Und einmal hatte ich gedacht, nach England zu gehen, möglicherweise ist es Oxford oder Cambridge, hatte ich gedacht, mich mit dieser Idee gleich in eine Reihe unserer hervorragendsten Geister stellend, deren ein paar von den allerbedeutendsten ja in England und also in Oxford und in Cambridge studiert haben und dann dort unterrichtet haben und da mir die englische Sprache keinerlei Schwierigkeiten machte, glaubte ich, auf dem Weg nach England, auf dem richtigen Weg zu sein. Aber ich hatte nicht mit dem englischen Klima, jedenfalls nicht mit jenem in Oxford und Cambridge gerechnet, das sich noch verheerender auf Krankheitsträger wie mich auswirkt und solchen Leuten von vornherein jede Anstrengung zunichte macht, gleich, in was für eine Richtung sie zu gehen hätte. Ich war nur zehn Tage in England gewesen, während ich mich von meinen Eltern auf mindestens ein halbes Jahr verabschiedet gehabt hatte und noch heute ist mir die Niedergeschlagenheit in ihrer ganzen Wucht gegenwärtig, in der ich gewesen war, wie ich schon zehn Tage nach meinem Aufbruch nach England, wieder in Peiskam war. Damals hatte ich mich wirklich lächerlich gemacht, aber schon damals war daran meine Krankheit, die schon in mir wucherte, wenn sie auch noch nicht zum Ausbruch gekommen war, schuld. Nach diesem Rückschlag, der mir natürlich nichts übriggelassen hatte als eine ziemlich fehlerhafte Vorstellung von England und London, hatte ich alle Auslandsmöglichkeiten aufgegeben und mich ganz auf die mir verbliebenen inländischen konzentriert, aber diese Möglichkeiten zwischen Wien auf der einen, und Innsbruck auf der anderen Seite, waren völlig unakzeptabel gewesen. Da ich auch nicht die Rolle des verkommenen Studenten hatte spielen wollen, zu welcher es gerade solche Leute wie ich, mit einer Herkunft wie ich, nicht selten treibt, entschied ich mich für die meiner Meinung nach beste Möglichkeit, nämlich überhaupt nicht zu studieren, jedenfalls nicht an einer öffentlichen Schule und ich glaubte, stark und charaktervoll genug zu sein, um mich auf diese Weise in einer sogenannten geistigen Spur entwickeln zu können. Dazu hatte ich aufeinmal auch eingesehen, daß mich außer Musik nichts auf der Welt in einem höheren Grade fesselte und daß deshalb alles außerhalb der Musik, für mich Unsinn ist. So erklären sich meine Wiener Jahre. Und was die Musik betrifft, so war ich von dem Augenblick an, in welchem ich sie für mich entdeckt hatte, der Aufnahmefähigste. Einmal hätte ich, durch die Bekanntschaft eines mit meinem Vater befreundeten Redakteurs, in die Redaktion der *Presse* eintreten können, aber mein doch recht guter Instinkt bewahrte mich vor einer solchen Perversität. Ich suchte, während ich mit meiner Schwester zusammen auf dem sogenannten Stubenring wohnte, tagtäglich alle möglichen Bibliotheken auf und traf mich mit den für meine Studienzwecke nützlichen und also entsprechend musikalisch gebildeten Leuten, die sich mehr oder weniger bald von selbst gefunden hatten, weil sie nach und nach meinen Forschungen unentbehrlich geworden waren. Auf diese Weise lernte ich nicht nur die wichtigsten musiktheoretischen Bücher und Schriften, sondern auch eine Reihe derer kennen, die diese Bücher und Schriften verfaßt hatten und ich zog den größten Gewinn daraus. Nebenbei befaßte ich mich mit den künstlerischen Produktionen der Wiener im Allgemeinen und war beinahe jeden Tag im Konzert oder in der Oper. Bald hatte ich einen so hohen Grad der musikalischen Selbständigkeit erreicht, daß ich zuerst meine Opernbesuche, dann auch meine Konzertbesuche einschränken konnte, mir waren auf den Programmen auch immer zu viele Wiederholungen des Immergleichen, das war ja immer schon das Charakteristische an Wien, daß es dem nach dem Neuen und dadurch tatsächlich Interessanten Begierigen, sehr bald nichts mehr zu bieten hatte. Es spielten auch nicht, wie früher, tagtäglich aus aller Welt die verschiedensten, sondern immer die gleichen Orchester in meiner Wiener Zeit und so gut sie im Grunde waren und sind, ich hatte und habe doch immer den Eindruck, dieselben Orchester spielten immer das gleiche, wenn sie auch immer etwas anderes spielten und spielen. Aber ein Mensch, der sich für die Musik entschieden hat, hat naturgemäß auch heute noch seinen Platz in Wien. Nur ist die Atmosphäre dieser Stadt auf längere Zeit überhaupt nicht auszuhalten, ganz abgesehen davon, daß mir die Ärzte schon sehr früh klar gemacht hatten, daß für mich Wien *das schädlichste Klima überhaupt* sei. Ich habe, alles in allem, über zwanzig Jahre in Wien zugebracht, genaugenommen, nur mit der Musik zusammen. Plötzlich hatte ich genug und kehrte nach Peiskam zurück. Natürlich führte dieser Schritt in die Sackgasse, für welche auch diese Notizen ein Zeugnis sind. Hatte es in Peiskam, wo ich um zwei Uhr mittag abgeholt worden bin, noch elf Grad minus gehabt, so zeigte bei meiner Ankunft in Palma, wo ich diese Notizen aufschreibe, das Thermometer schon achtzehn Grad plus. Aber mein Zustand hatte sich naturgemäß durch diese Tatsache nicht gebessert, im Gegenteil. Ich hatte Angst, die erste Nacht im Hotel nicht zu überleben. Der mit dieser Krankheit Vertraute, weiß, wovon ich spreche. Ich tat gut daran, den ganzen meiner Ankunft folgenden Tag bei geschlossenen Vorhängen im Bett zu bleiben. An ein Auspacken der Koffer war nicht zu denken gewesen. Naturgemäß wußte ich schon vorher, was ein solcher abrupter Klimawechsel bedeutet, aber einen solchen erbarmungswürdigen Zustand hatte ich nicht erwartet. Ich beschränkte mich darauf, tatsächlich den ganzen Tag im Bett zu bleiben und zweimal ein Glas Wasser auszutrinken, aber auch das nur, weil ich meine Tabletten einzunehmen hatte. Wahrscheinlich hatte man an der Rezeption gleich gesehen, wie schlecht es mir geht und keinerlei Umstände gemacht und mir das gewünschte Zimmer gegeben. Ich werde meine Koffer *ganz langsam* auspacken, sagte ich mir, während ich, flach auf dem Bett liegend, die Zimmerdecke beobachtete und meine Phantasien da wieder fortzusetzen imstande war, wo ich sie in Peiskam abgebrochen hatte. Der Flug war, wie alle vorher schon überstandenen, auch wieder der fürchterlichste aller fürchterlichen gewesen. So, als dürfe ich es eigentlich nicht, stand ich aber dann in der zweiten Nacht gegen drei Uhr früh auf und fing an, meine Koffer auszupacken, dabei stelle ich fest, daß ich gar nicht so schwach war, wie ich geglaubt hatte. Ich liebe diese großen, normalerweise für zwei Personen bestimmten Zimmer, die dazu auch noch ein großes Bad und ein nicht weniger großes Vorzimmer haben und von welchen aus man nicht nur auf die Altstadt, sondern auch gleichzeitig auf das Meer schauen kann. Und die absolut ruhig sind. In der Frühe höre ich nur die Hähne krähen, ein paar dumpfe Schläge von der Schiffswerft herüber, Hundebellen und vielleicht auch noch das Keifen einer Mutter gegen ihr ungezogenes Kind. Ich habe hier nicht den Eindruck, von den Einheimischen isoliert zu sein, obwohl mich, der ich tatsächlich in einem solchen großzügigen Zimmer im Luxus lebe und die in der Altstadt unter mir gerade im Gegenteil von diesem Luxus, doch fast alles von ihnen trennt. Aber meine Krankheit, so denke ich, entschuldigt diesen Luxus. Aber im Grunde habe ich überhaupt keine Skrupel mehr, sage ich mir. Am Lebensende sind Skrupel das Lächerlichste. Nach dem ersten Frühstück fing ich an, meine Koffer auszupacken. Zuerst den Kleider- und Wäschekoffer. Kaum hatte ich ein paar Kleidungs- oder Wäschestücke herausgenommen und im Kasten verstaut, war ich schon wieder auf das Bett niedergeworfen. Eine wie schon lang nicht so heftige Atemnot machte mir die größten Schwierigkeiten. Ich schob diesen Umstand auf den abrupten Klimawechsel, welcher sich ja sogar auf den Gesunden zuerst einmal verheerend auswirkt, geschweige denn auf einen wie ich. Aber schließlich hatte ich den ersten Koffer ausgepackt und ich ging daran, den zweiten auszupacken, also den, in welchem alle Bücher und Schriften waren, die ich für meine Arbeit über Mendelssohn Bartholdy mitgenommen hatte. Zuerst wußte ich nicht, wohin mit den Büchern und Schriften und ich überlegte, wo mit den einen hin und wo mit den andern, bis ich einen Plan aufgestellt hatte, *wie* diese Bücher und Schriften auf dem Tisch und im Kasten unterzubringen sind und nach diesem Plan ging ich während des tatsächlichen Auspackens vor. Ich fragte mich währenddessen, ob es überhaupt einen Sinn hat, eine solche Arbeit wie die über Mendelssohn Bartholdy *noch* anzugehen. Einerseits sagte ich mir, eine solche Arbeit anzugehen, ist sinnlos, andererseits sagte ich mir, *du mußt diese Arbeit angehen, koste es, was es wolle.* Aber rechtfertigen allein die Vorbereitungen von einem Jahrzehnt, denn solange bereitete ich mich ja auf diese Arbeit vor, die Inangriffnahme einer solchen Arbeit, wenn man sich in einem solchen total abgenutzten Zustand befindet, in dem ich mich befinde? Ich sagte abwechselnd, *nichts* rechtfertigt eine solche Arbeit und *alles* rechtfertigt eine solche Arbeit. Es war das beste, die Frage nach Sinn oder Unsinn einer solchen Arbeit weiter zu stellen, aufzugeben und ich gab sie auf und tat so, als sei ich entschlossen, die Arbeit tatsächlich so bald als möglich anzugehn. Sollte ich gerade jetzt, so knapp vor dem Ziel, alles hinwerfen, mir alles zunichte machen, woran letztenendes meine ganze Existenz hing, an dem dünnen Faden von ein bißchen Hoffnung, diese Arbeit am Ende doch noch zustande zu bringen? Ich werde die Arbeit schreiben, wenn ich auch nicht sofort damit anfangen kann, das hatte ich ja vorausgesehen und niemals geglaubt, denn ich bin ja nicht so verrückt, der absoluten Absurdität zu verfallen, wenn nicht heute, so morgen, wenn nicht morgen, so übermorgen, undsofort. Allein wegen dieser Arbeit habe ich ja die Reise auf mich genommen, sagte ich mir. Ich redete mir gut zu, richtete alles auf dem Schreibtisch so her, daß ich jederzeit hätte mit der Arbeit anfangen können und setzte mich auf dem Balkon auf den weißgestrichenen Eisenblechsessel und legte mich dann wieder auf mein Bett und

wechselte mehrere Stunden, bis der Tag zuende gegangen war, vom Balkonsessel auf das
Bett und umgekehrt. Gegen Abend ging ich in
die Stadt hinein. Hatte ich mir ursprünglich
vorgenommen, nur bis zum Molo zu gehen,
eventuell bis in das Fischrestaurant auf dem
Molo, das ich von früher her sehr gut kenne
und wo ich immer am besten gegessen habe, so
war ich dann doch über die Lonja hinausge-
gangen bis auf die sogenannte *Borne,* die zu
Francos Lebzeiten, also vom Sieg der Faschi-
sten bis zu deren Sturz nur als *Paseo del Gene-
ralisimo* bezeichnet wurde und setzte mich,
weil es so warm war, aber doch auf die unvor-
sichtigste Weise, wie ich mir sagen mußte, auf
die den Cañellas gegenüberliegende Kaffee-
hausterrasse, wo ich mir jahrelang, ja schon
beinahe jahrzehntelang, mein Buffet zusam-
mengestellt habe, tatsächlich immer das gleiche
aus Schinken und Käse und Oliven und einem
Glas Wasser bestehend und dachte, in einem
jener uralten weißgestrichenen Korbsessel sitzend, während ich einen großen Espresso
trank und die Sonne durch die leider noch kah-
len Platanen glitzerte, mit geschlossenen
Augen aufeinmal über den Namen derjenigen
jungen Frau aus München nach, die ich bei
meinem letzten Palmaaufenthalt hier auf der

Borne angesprochen habe und die mir dann, nachdem ich sie eingeladen hatte, mit mir einen Kaffee auf eben dieser Terrasse, auf welcher ich jetzt mit geschlossenen Augen im Korbsessel saß, ihre furchtbare Geschichte erzählte. *Anna Härdtl,* hieß die junge Frau. Und nicht *ich* habe sie auf der Borne angesprochen, sondern umgekehrt, sie mich. Wie auch immer. Ich war mit einer von den Cañellastöchtern, die ich aus Wien kenne, wo sie Musik studiert hat, (Klavier bei dem berühmten Wührer) und die gegenüber dem Kaffeehaus eine Parfümerie betreiben, aus einem mir nicht mehr gegenwärtigen Anlaß lachend unter der Platanenallee gegangen und hatte den Namen *Anna* ausgerufen, dieses von mir plötzlich laut ausgerufene *Anna* hatte sich auf ein Mädchen bezogen, das uns durch einen Besuch in Andraitx bekannt geworden war, auf einem der vielen Nachmittagsausflüge, die ich in den letzten Jahren mit den Cañellastöchtern gemacht habe und an den wir uns immer gern erinnerten. Als ich das *Anna* ausgerufen hatte, ich weiß heute nicht mehr, warum so laut, *ruiso!,* und aus diesem Grunde weithin hörbar, drehte sich eine vor uns gehende junge Frau urplötzlich um und sagte: *Ja?* Und dann, in der größten Verlegenheit: *ich heiße Anna.* Sie hatte sich spontan umgedreht, weil sie glaubte, angerufen zu sein. Der plötzliche Anblick der jungen Frau hatte meine und die Stimmung meiner Begleiterin vollkommen geändert. Ich war von dem Anblick der jungen Frau entsetzt gewesen. Offensichtlich trug sie Trauerkleidung und machte einen verstörten und armseligen Eindruck. Es ist nicht meine Art, mit einem fremden Menschen von einem Augenblick auf den andern ein Gespräch anzufangen, dazu fehlen mir alle Voraussetzungen, aber als ich das Gesicht der jungen Frau gesehen hatte, hatte ich augenblicklich und tatsächlich nur aus einem augenblicklichen Gefühl nicht des Mitleids, sondern der unmittelbaren Betroffenheit über ein solches verzweifeltes Gesicht, zu der jungen Frau gesagt, ob sie sich nicht mit uns, also der Cañellastochter und mir, auf die Terrasse setzen wolle auf einen Kaffee; kaum hatte ich die Einladung ausgesprochen gehabt, beschuldigte ich mich, denn ich hatte diese Einladung in einem möglicherweise die junge Frau sogar verletzenden, nicht sie beschützenden Ton gesagt und es tat mir schon leid, die Einladung überhaupt ausgesprochen zu haben, aber ich konnte sie und was ich gesagt hatte, im Augenblick ja nicht mehr rückgängig machen und so wiederholte ich meine Einladung jetzt in einem

anderen, wie mir zuerst schien, angemessene-
ren Ton, der aber auch völlig mißglückt gewesen war, wie ich dann wieder dachte. Zu meiner Überraschung willigte die junge Frau, die
sich als *Anna Härdtl* vorgestellt hatte, sofort
ein. Es sei ihr angenehm, nach Tagen wieder
einmal mit Menschen zu sprechen, sagte sie
und alles, das sie daraufhin sagte, war so gesprochen wie von einem in sich vollkommen
verstörten und zerstörten Menschen, sie
wohne in Santa Ponsa, hatte sie gesagt, dann
etwas von einem Todesfall, dann etwas von einem geschlossenen Konsulat, dann etwas von
einem teuren Mittagessen, von einem kalten
Zimmer, es hörte sich, noch während wir auf
das Kaffeehaus zugingen, alles an, wie von einem Menschen gesprochen, der nahe dem
Wahnsinnigwerden ist. Kaum saßen wir zu
dritt auf der Terrasse, war ich mir erst dieser
ganzen zuhöchst peinlichen Situation bewußt
geworden und ich wußte überhaupt nicht
mehr, wie ich jetzt reagieren sollte, nachdem
mich die kleine Cañellas auch gänzlich im Stich
gelassen hatte, sie begriff nichts von dem gerade Vorgefallenen und schaute nur teilnahms-
los durchs Fenster auf die Straße, was ich nicht
verstanden habe, denn es war zu sehen, was für
ein Mensch jetzt mit uns am Tisch saß, daß es

sich um den verzweifeltsten handelte, den man sich vorstellen kann. Der jungen Cañellas, die es, wie überhaupt alle Spanierinnen, nicht gewohnt war, aufeinmal mit einem fremden Menschen an einem Tisch zu sitzen, war die ganze Situation peinlich gewesen. Und ich schämte mich, ohne ein Wort sagen zu können, nach Wörtern suchend, aber nicht ein einziges findend, und machte mir den Vorwurf, möglicherweise jetzt auf geradezu brutale Art einen Menschen zu etwas zu zwingen, das er gar nicht will, die junge Frau will vielleicht weder mit mir, noch mit der Cañellas, die sie nichts angehen konnte, an einem Tisch sitzen, um Kaffee zu trinken, nur weil ich sie in einem, wenn schon nicht rüden, aber doch gar nicht feinfühligen Ton mehr oder weniger vor die Tatsache gestellt hatte durch meine Einladung, mit uns auf der Terrasse Kaffee zu trinken, ich schämte mich und war nicht imstande, ein Gespräch anzufangen, ein einziges Wort herauszubringen, geschweige denn auf irgend etwas, das die junge Frau in ihrer höchsten Verzweiflung und Verwirrung vorher gesagt hatte, einzugehen. Genauso sitzt ein Mensch da, den ich dazu gezwungen habe, dachte ich. Die junge Cañellas muß es aber in der gleichen Art und Weise empfunden haben, denn sie hatte eine zeitlang keinen einzigen Blick für mich übrig gehabt. Aber mit dem Gedanken an meine Scham hatte ich keine Chance, aus dieser von mir heraufbeschworenen Situation herauszukommen. Plötzlich fragte ich die junge Frau vor lauter Nervosität um ihren Namen, obwohl sie mir ihren Namen ja schon gleich, nachdem ich sie auf den Kaffee eingeladen hatte, gesagt hatte. Aber sie wiederholte bereitwillig: *Anna Härdtl.* Ich war der ganzen Situation nicht gewachsen. So schwiegen wir alle drei und jeder wußte insgeheim, warum und die ganze Peinlichkeit dieser Konstellation war nicht zu übersehen gewesen. Plötzlich hörten wir von der Anna Härdtl folgendes: Ende August sei sie mit ihrem Mann und einem dreijährigen Sohn, weil sie, nach Eröffnung eines Elektrogeschäftes in Trudering, einem östlichen Vorort von München, beide, wie auch das Kind, völlig erschöpft gewesen seien, vor allem wegen der unaufhörlichen sie peinigenden Widerwärtigkeiten der Behörden, die ihnen bei dieser Geschäftseröffnung keine Ruhe gelassen hätten, nach Santa Ponsa gekommen, auf zwei Wochen. Ich könne mir gar nicht vorstellen, hatte sie gesagt, was alles sie in diesem Jahr vor und bis zur Geschäftseröffnung habe durchmachen müssen, es sei das Furchtbarste, sich selbständig machen zu wollen, das Unmöglichste, heute viel viel schlimmer als jemals vorher. Und ihr Mann, das hatte sie gleich von allem Anfang an gesagt, sei der Schwierigste gewesen. Nachdem sie gewesen gesagt hatte, wußte ich aufeinmal, daß sie um ihren Mann trauerte, ich hatte das bis jetzt noch nicht begriffen. Ihr Mann sei erst dreiundzwanzig Jahre alt gewesen, sagte sie, stammte aus Nürnberg, aus einer armen Familie, während sie aus einer, so sie selbst, wohlhabenderen aus der Nähe von Rosenheim gebürtig sei. Ihr Mann habe eine Ingenieursschule in Nürnberg besucht und diese Ingenieursschule auch zum Abschluß gebracht, obwohl sie sich schon gekannt hatten und es dadurch für ihn das Schwierigste gewesen sei, diese Schule weiterzumachen, aber es war ihm schließlich gelungen, denn wenn er die Ingenieursschule aufgehört hätte, wären von ihrem Vater sofort die monatlichen Zahlungen an ihn, die geringsten natürlich, wie sie sagte, eingestellt worden, aber ihr Mann habe alle seine Kräfte zusammengenommen und die Ingenieursschule tatsächlich um ein halbes Jahr früher abschließen können, *mit außerordentlichem Erfolg,* wie sie sagte, als es eigentlich notwendig gewesen wäre. Ihr zuliebe habe er schließlich das Tru-

deringer Geschäft angefangen, was ihre Idee
gewesen sei, denn sie hatte Angst davor, ihr
Mann verkomme in einem Büro, daß es auch
für die gerade gegründete Familie besser sei,
ein eigenes Geschäft zu betreiben, als in ein
Büro zu gehen, vor allem habe sie das Wort
Selbständigkeit wie kein zweites fasziniert,
aber sie sei dem Wort auf den Leim gegangen.
Ihr Mann habe es nicht als Degradierung empfunden, weiterhin ein kleiner Geschäftsmann
zu sein und kein, wie in den Vororten immer,
angesehener Beamter, möglicherweise einer
öffentlichen Dienststelle, wo ihm ein lebenslängliches Auskommen garantiert sei, im Gegenteil, hatte er den Wunsch seiner jungen
Frau sofort aufgegriffen und gedacht, daß er
sich als Geschäftsmann ja schließlich durch
Arbeit und Verstand von einem kleinen un-
scheinbaren, eines Tages zu einem großen, ja
bedeutenden machen könne, wenn ihm dabei
das Glück nicht ausbleibe und er sich auf seine
Frau verlassen könne. Beide hätten sie nach
diesem Entschluß das Lokal in Trudering mie-
ten und herrichten und schließlich eröffnen
können. Aber dieser so rasch aufgeschriebene
und von mir auch ebenso rasch auf der Borne
mit geschlossenen Augen in der Abendwärme
gesehene Vorgang, hat über ein Jahr gedauert,

das die junge Frau als ein verzweifeltes bezeichnete, denn zu allen behördlichen Fürchterlichkeiten sei dann das Kind gekommen und
dann, als Folge von allem wahrscheinlich, auch
noch eine merkwürdige Krankheit, eine schleichende, wenn auch nicht lebensgefährliche,
aber unangenehme und auf ihrem ganzen Körper kleine braune Flecken erzeugende, von
welchen die Ärzte behaupteten, daß sie solche
Flecken auf einem Körper niemals gesehen
hätten. Aber schließlich hatten die beiden,
durch die Mithilfe der Eltern der jungen Frau,
die mit einem höheren, von der jungen Frau
aber nicht genauer bezeichneten Betrag ausgeholfen hatten, ihr Geschäft aufmachen können. Als es aber aufgemacht war, begannen erst
die Schwierigkeiten so richtig, sagte die junge
Frau, ich hörte es, in dem Sessel auf der Borne
sitzend, wieder deutlich, den Tonfall, alles. Die
Lieferanten wollten nicht liefern auf Kredit
und das Lager sollte doch so groß als möglich
sein, und wenn sie lieferten, dann lieferten sie
das Verkehrte oder eine mangelhafte Ware, wie
sie sich ausdrückte, oft wären eine Reihe von
Kisten angekommen, in welchen halbzerstörte
Apparate gewesen seien, weil die Transporteure so schlampig gewesen seien und überhaupt heute niemand mehr irgendeine Verant

wortung trage für irgendetwas. Einerseits war sie den ganzen Tag mit dem Kind ausgefüllt, andererseits hätte sie denselben ganzen Tag ihrem Mann im Geschäft zu helfen gehabt, der, im Unterschied zu ihr, die sie einmal eine Handelsakademie besucht habe, merkwürdigerweise in Erlangen, wahrscheinlich, weil sie dort Verwandte hatte, in geschäftlicher Hinsicht so wenig beschlagen gewesen sei, daß es schon an das Unverantwortliche grenzte. Aber sie konnte ihrem Mann keinen Vorwurf in dieser Richtung machen, *sie* hatte ihn ja mehr oder weniger gezwungen, das Geschäft anzufangen und seinen eigentlichen Beruf, den des Elektroingenieurs, aufzugeben. Vielleicht war es von mir falsch und der größte Fehler gewesen, sagte sie, meinen Mann von seinem ja schon vorgezeichneten Weg abzubringen und zu diesem Geschäft zu zwingen. Die tatsächlichen Schwierigkeiten hätten sie naturgemäß nicht vorausgesehen, wenn sie sich auch auf die allergrößten gefaßt gemacht hätten und außerdem seien sie so guten Willens und in einer so mutigen Periode der Hoffnung gewesen, mit allen auf sie zukommenden Schwierigkeiten fertig zu werden, gleich als wie groß sie sich erweisen sollten. Aber ihr Mann, das habe sie erst, als es schon zu spät gewesen war, festgestellt, wäre der ungeeignetste für jede Art von Selbständigkeit gewesen. Das hatte sie nicht gewußt, obwohl sie es hätte sehen müssen, denn sie war ja lange genug mit ihm zusammen gewesen vor dem Entschluß, das Truderinger Geschäft aufzumachen, aber vielleicht, so sie, habe ich das alles gesehen, aber nicht sehen wollen. Sie habe es sich so schön vorgestellt, eine Truderinger Geschäftsfrau zu sein, mit keinen höheren Ansprüchen im Grunde und mit ihrem Mann und ihren Kindern ganz einfach glücklich. Ihre Rechnung war nicht aufgegangen. Den Mann hatte sie vom Weg abgebracht und dem Kind fehlte durch ihren Einsatz bei diesem Geschäft, die für eine Erziehung unbedingt erforderliche Aufmerksamkeit und Obhut. Das Kind hat gespürt, wie wir uns verrannt haben, sagte sie. Die Cañellastochter, die sich zuerst hatte verabschieden wollen, die ich aber gebeten hatte, zu bleiben, hörte jetzt aufeinmal doch aufmerksam dem zu, das die junge Anna Härdtl sagte, sie zeigte naturgemäß keinerlei Rührung, was auch zuviel verlangt gewesen wäre, aber sie erschien mir wenigstens als verständnisvoll. Dabei, sagte die junge Frau, sei das Geschäft in einer der besten Straßen von Trudering gelegen. Sie hatte Mühe, nicht in ein Weinen auszubrechen, aber andererseits hatte ich ja wieder nicht die Absicht, sie von ihrem Unglück, das sie bis jetzt in seinem ganzen Ausmaß noch nicht eröffnet hatte, abzulenken, denn ich wollte ja jetzt hören, was wirklich und weiter geschehen war. Die junge Frau war naturgemäß nicht imstande gewesen, einen chronologischen Bericht zu geben und wie ich es jetzt aufschreibe, ist es viel folgerichtiger, als es ihr zu sagen möglich gewesen war. Meine Großeltern waren zu weit weg, als daß sie sich um unser Kind hätten kümmern können, sagte sie. Meine Mutter war nicht gut auf meinen Mann zu sprechen, die Mutter hatte, wie alle Mütter von verheirateten Töchtern, den Wahn, ihr Mann habe ihr ihre Tochter weggenommen, aus den Händen gerissen und zwar vollkommen unrechtmäßig. Wir waren im Grund von allen verlassen und hatten nur die Schwierigkeiten mit dem Geschäft, sagte sie. Da sei sie, auf dem Höhepunkt des Nichtmehraushaltens, so sie selbst, auf die Idee gekommen, mit Mann und Kind nach Mallorca zu fliegen auf ein paar Wochen. Sie habe nicht die allerbilligste, aber doch beinahe die billigste Reise gebucht, das Zimmer soll einen Balkon haben, von dem aus das Meer zu sehen ist, wäre ihr einziger Anspruch gewesen, und sei Ende August, also vor über eineinhalb Jahren, aus München nach Mallorca abgeflogen. Wissen Sie, sagte sie, ich bin ja erst einundzwanzig, hatte sie gesagt und dann nicht weitersprechen können. *Es ist das Hotel Paris*, sagte sie, in dem wir untergebracht waren. Ich hatte mir alles anders vorgestellt. Sie konnte nicht sagen *wie* anders, auch nicht als ich sie fragte, wie anders, sie konnte es nicht. Als sie das erstemal nach ihrer Ankunft in der Frühe mit dem Kind in das Meerwasser gestiegen sei, habe es sie geekelt. Auch das Kind. Sie hätten sich zwei Liegestühle gemietet und seien mehrere Stunden schweigend unmittelbar unterhalb der Hotelmauern in diesen Liegestühlen gesessen, unter eintausend oder zweitausend Menschen. Sie hätten sich gar nicht unterhalten können, denn neben dem Hotel war eine Baustelle, die ihnen jedes Gespräch unmöglich gemacht habe. Sie hatten versucht, aus dem Hotel hinauszukommen, aber das war nicht möglich, sie fanden nirgendwo eine Unterkunft. So hatten sie schließlich schon am zweiten Tag an ihre Rückreise nach München gedacht, aber das konnten sie auch nicht, weil kein Platz im Flugzeug zu bekommen war. Tag und Nacht hatten wir uns die Ohren zustopfen müssen, sagte sie und wir sind vor lauter Ekel überhaupt nicht mehr ans Wasser gegangen, sondern landeinwärts, aber da sind wir beinahe umgekommen vor Hitze und Gestank. Und nicht einen Augenblick sind sie dem Lärm entkommen, haben immer nur aus Erschöpfung einschlafen können in einem Zimmer, dessen Wände so dünn waren, daß sie es hörten, wenn sich im Nebenzimmer jemand im Bett umdrehte. Wie ich die Schranktür aufmachte, sagte sie, sah ich ins Freie, denn die Schrankrückseite war nichts anderes als die vom Wetter schon zerrissene Betonmauer gewesen, nicht dicker als zehn Zentimeter. In der Nacht hat es so gezogen, daß wir uns alle drei verkühlt haben. Auch das Kind ist uns krank geworden. Tagsüber flüchteten wir in die Bar, in welcher es, wenn auch muffig, so doch erträglich gewesen war. Wir hatten Vollpension, sagte sie, aber wir konnten das Essen nicht essen. Am fünften Tag ist es geschehen, sagte sie. Sie sei, wohl wieder aus Erschöpfung, gegen zwei Uhr früh eingeschlafen und dann erst gegen fünf Uhr früh aufgewacht. Erschrocken. Es war ganz trüb, sagte sie. Da mein Mann nicht im Bett war, das Kind schlief, stand ich auf und ging auf den Balkon. Aber auf dem Balkon war mein Mann nicht. Ich legte mich wieder auf das Bett, stand aber sofort wieder auf und ging auf den Balkon und ich hatte schon so eine entsetzliche Ahnung gehabt, sagte sie und schaute vom Balkon in die Tiefe. Auf dem Beton unter dem Balkon lag ein Leichnam, mit einer Decke zugedeckt. Ich wußte sofort, daß das mein Mann ist, sagte die junge Frau. In der Hotelhalle hatten sie ihr gesagt, sie hätten den Leichnam schon um drei Uhr früh auf dem Betonboden gefunden, mit vollkommen zerschmettertem Kopf. Der Hoteldirektor habe ihr gesagt, er habe sie nicht aufwecken und erschrecken wollen und darauf gewartet, daß sie in die Halle herunterkomme, was jetzt geschehen sei. Wenn es tatsächlich ihr Mann sei und darüber bestehe kein Zweifel und sie könne ihn einwandfrei identifizieren, würde er sofort alles Weitere in die Wege leiten. Die junge Frau hatte ihren Bericht aufeinmal ganz ruhig vortragen können und ich hatte den Eindruck, daß sie sich gerade deshalb, weil ich sie dazu gebracht habe, ihren Bericht zu machen, beruhigt habe, dachte ich jetzt. Als ob es gestern gewesen wäre, hörte ich sie wieder sprechen. Sie sei wortlos zu ihrem Kind in den achten Stock hinaufgegangen, der Lift war wie fast immer in den billigen Hotels, ausgefallen und habe das Kind genommen und sei mit dem Kind wieder in die Halle hinunter gegangen. In der Zwischenzeit hatten sich, so sie selbst, schon so viel Neugierige angesammelt gehabt, obwohl es erst gegen sechs war. Ein Arzt sei erschienen, die Polizei, dann habe man den Leichnam ihres Mannes in einen aus Palma herbeigerufenen Leichenwagen geschoben und sei mit ihm abgefahren. Sie sei dann völlig unbeteiligt an den Geschehnissen in der Halle sitzen geblieben, eine halbe Stunde unfähig wieder aufzustehen und habe ihr Kind an sich gedrückt. Dann sei sie in ihr Zimmer gegangen und habe es zwei Tage nicht mehr verlassen. Als sie am zweiten Tag gegen mittag in die Halle hinuntergegangen war, habe man ihr gesagt, daß ihr Mann auf dem Friedhof in Palma bestattet worden sei, und man habe ihr einen Zettel mit der Nummer der Bestattungsstelle in die Hand gedrückt. Das sei alles gewesen. Sie sei mit dem Taxi auf den Friedhof gefahren und habe, nur nach stundenlanger verzweifelter Suche, so sie, die Grabstätte gefunden. Es sei fürchterlich heiß gewesen und sie habe nur einen Wunsch gehabt, augenblicklich zu sterben. Aber dieser Wunsch ist ihr naturgemäß nicht erfüllt worden. Zu ihrem Entsetzen hatte man ihren Mann aber nicht einmal für sich allein bestattet, sondern seinen Leichnam zum Leichnam einer eine Woche vorher verstorbenen *Isabella Fernandez,* die in einem der sieben Etagen hohen überirdischen Betonbestattungskästen, wie sie in den südlichen Ländern aus Platzmangel notwendig und üblich sind, dazugeschoben. So stand sie mit ihrem Kind schon zwei Tage nach dem Tod ihres Mannes, der, niemand wisse, aus welchem Grunde und wie vom Balkon des Hotel Paris in die Tiefe gestürzt war, vor einer längst zubetonierten Grabstätte, auf welcher nicht einmal sein Name verzeichnet gewesen war, nur der Name einer ihr vollkommen fremden, zweiundsiebzigjährigen Frau und die auf die gelbliche Marmortafel aufgepickte Nummer, die die Nummer ihres Mannes gewesen war. Auch diesen Bericht hatte die junge Frau, die sich inzwischen einen zweiten Kaffee hatte kommen lassen, ganz ruhig gegeben. Dann war sie plötzlich aufgestanden und hatte gesagt, daß sie eigentlich im Begriffe gewesen war, auf den Friedhof zu gehen, wie jeden Tag, sie sei jetzt sieben Tage in Palma und gehe jeden Tag auf den Friedhof, in welchem sie sich jetzt schon ganz gut auskenne. Am liebsten würde sie hier in Palma bleiben, in Deutschland wäre sie nur noch unglücklich. Zweimal sei sie in der Zwischenzeit schon in Palma gewesen wegen der auf sie zugekommenen juristischen Seite dieser traurigen Angelegenheit. Zuerst hatte sie geglaubt, sich auf das deutsche Konsulat verlassen zu können, aber dieses Konsulat hatte sie völlig im Stich gelassen, es hatte es schließlich als Zumutung empfunden, von der Anna Härdtl belästigt zu werden und die junge Frau hatte es aufgegeben, sich weiterhin an das Konsulat zu wenden, so war sie aber in die Hände eines gerissenen palmanesischen Advokaten gefallen, der zwar alles erledigte, aber der sie nicht nur ihr ganzes Vermögen, sondern darüber hinaus auch noch einen hohen, bei einer Münchner Bank aufgenommenen Kredit gekostet habe. Das Merkwürdigste der ganzen Angelegenheit war aber gewesen, daß man von seiten der Polizei die Anna Härdtl in diesem Fall überhaupt nicht einvernommen hatte, niemals habe sie mit irgendeinem Menschen von der Polizei gesprochen, nur die Rechnung der Bestattungsfirma sei ihr zugeschickt worden. Viel später hatte mir die Cañellastochter gesagt, daß sie einen Augenblick geglaubt habe, es hätte sich ja auch um Mord handeln können, wenn dieser Gedanke auch als vollkommen absurd erschienen ist und dann auch von uns nicht mehr gedacht worden war. Tatsache war aber, daß die Balkongitter im Hotel Paris in Santa Ponsa nur siebzig Zentimeter hoch sind und tatsächlich auch nach spanischem Gesetz verboten und allein die Wahrscheinlichkeit die größte ist, daß der junge Härdtl nur für einen Augenblick auf den Balkon gegangen ist, um Luft zu schöpfen, möglicherweise, um sich nur eine Zigarette anzuzünden und, vielleicht auch noch in dem sogenannten Halbschlaf, über das Balkongitter in die Tiefe gestürzt ist, direkt auf den Beton unter dem Balkon. Man habe in der Zwischenzeit ein Verfahren eröffnet, sagte die junge Härdtl jetzt, schon aufgestanden und im Begriffe, auf den Friedhof zu gehen, sie habe aber nicht einmal eine Ahnung davon, *was* für ein Verfahren. Sie habe eine Fotografie ihres Mannes aus München mitgebracht, die sie uns zeigen wolle und sie zeigte uns die Fotografie, auf welcher ein junger dunkelhaariger Mann abgebildet war, ein Jüngling wie Millionen andere auch, ohne irgendetwas Außerordentliches, mager, mit traurigen Gesichtszügen, eher ein südländischer Typus, dachte ich, kein bajuwarischer. Und dann hatte nicht ich die Idee oder die Ungeheuerlichkeit gehabt, die junge Härdtl zu fragen, ob sie etwas dagegen habe, daß wir, die junge Cañellas und ich, sie auf den Friedhof begleiten, sondern die Cañellas. Ich weiß nicht, was diese damit bezwecken wollte, wahrscheinlich hatte sie

Beweise haben wollen, die unmittelbare Anschauung quasi der Tragödie, von welcher wir jetzt, wenn auch schon sehr viel, so doch auch wieder nur in eher hilflosen Andeutungen erfahren hatten. Alle drei gingen wir dann die Jaime III hinauf und bestiegen dann ein Taxi zum Friedhof. Der Friedhof in Palma ist riesengroß und wirkt, wenigstens für den mitteleuropäischen Begriff, zuerst einmal ungemein fremdartig und dadurch unheimlich, er erinnert schon mehr an Nordafrika und die Wüste und ich dachte, obwohl ich immer geglaubt habe, es ist mir gleich, wo, *da* will ich nicht begraben sein. Die junge Härdtl hatte nicht mehr gewußt, bei welchem Eingang des Friedhofs das Taxi vorzufahren habe und tatsächlich hatte es gerade dort angehalten, wo es das Verkehrteste gewesen war. So irrte die junge Frau hastig, uns fortwährend verlierend, einmal in die eine, einmal in die andere Richtung, immer die Fotografie ihres toten Mannes in der Hand und fand die Grabstelle nicht. Schließlich bat ich sie, doch die Leute, die vor dem Leichenkühlhaus, aus welchem ein unbeschreiblicher Verwesungsgeruch herauskam, zu fragen, wo sie die Grabstelle ihres toten Mannes finde. Sie war aber dazu gar nicht imstande gewesen. Ich nahm ihr das Foto ab und nannte einem der vor dem Leichenkühlhaus in grauen Plastikmänteln herumstehenden Männern die Grabstellennummer und er deutete in eine bestimmte Richtung, in die wir dann alle drei gingen, die junge Härdtl voraus, wir hinter ihr, die Situation hätte gar nicht peinlicher und abstoßender sein können, aber wir hatten ja alles so haben wollen, so heraufbeschworen und weniger wie ich glaube, aus Mitgefühl, denn aus Neugierde, ja wahrscheinlich sogar, aus Sensationshunger, wozu die junge Cañellas am Ende sehr viel beigetragen hatte. Am Ende standen wir vor einem dieser Tausende von zubetonierten Marmorvierecken, von welchem wir den gerade frisch hineingemeißelten Namen *Isabella Fernandez* herunterlesen konnten. Die junge Härdtl hatte jetzt Tränen in den Augen und versuchte, das von ihr mitgebrachte Foto ihres Mannes, an der Marmortafel zu befestigen, was ihr zuerst nicht gelang. Ich hatte aber zufällig den Rest einer Klebebandrolle eingesteckt und pickte damit das Foto an den Marmor. Mit Bleistift hatte die junge Härdtl unter den Namen der Isabella Fernandez den Namen ihres Mannes, nämlich *Hans Peter Härdtl* daraufgeschrieben gehabt, der Regen hatte den Namen schon etwas verwischt, aber er war noch deutlich zu lesen.

Arme Leute, sagte sie oder solche, die von einem solchen Unglücksfall urplötzlich getroffen werden, wie sie und sich nicht richtig verständigen können, kommen, sterben sie, schon am gleichen Tag in einen solchen überirdischen Betonschacht, der oft nicht nur für zwei, sondern auch für drei Leichen gedacht ist. Überall hingen von den einbetonierten Marmortafeln kleinere oder größere Büschel von Plastikblumen herunter. Der ganze Friedhof war angefüllt mit dem Geruch aus dem Leichenkühlhaus. Zuerst hatte ich gedacht, wir lassen die junge Härdtl jetzt allein, aber dann war mir vorgekommen, daß es besser sei, wir bringen sie wieder mit dem Taxi zurück in die Stadt, verschämt haben wir uns, als sie voll aus sich herausheulte, abgewandt und auf die Wüste hinter dem Friedhof hinuntergeschaut. Nach etwa fünf Minuten hatte sie keine Kraft mehr, dazustehen und sie bat uns, wir mögen mit ihr aus dem Friedhof hinausgehen. Wir gingen hinaus und da weit und breit kein Taxi zu sehen gewesen war, bestellten wir ein solches durch den Pförtner des gleich anschließend an den Friedhof in einem großen palmenüberwachsenen Park stehenden Irrenhauses. Wir fuhren in die Stadt zurück, entschlossen uns aber dann, die junge Frau, die jetzt den traurigsten Eindruck machte, den man sich denken kann, in ihr Hotel zu bringen. Wieder hatte sie sich ein fürchterliches Hotel als Quartier ausgesucht, dachte ich, gleichzeitig aber, daß ihr ja gar nichts anderes übriggeblieben ist, daß sie, weil sie ganz einfach nichts besitzt jetzt, als ihr fürchterliches Unglück, keine andere Wahl hat, als in dieses entsetzliche *Hotel Zenith* zu gehen, welches das heruntergekommenste in ganz Calamayor ist und in welches vor allem die siebzig- bis neunzigjährigen deutschen Witwen von ihren Kindern aus Deutschland abgeschoben werden mit dem Hintergedanken, sie endgültig und auf die billigste Weise los zu sein. Zwölf Wochen in einem solchen Hotel mit Vollpension kosten nicht soviel wie eine halbe Woche anständig in Deutschland leben, sage ich mir. Zehntausende deutsche Witwen finden jedes Jahr zu Weihnachten unter dem Weihnachtsbaum einen sogenannten *Überwinterungsgutschein*, einen sogenannten *Langzeitaufenthalt*, wie sie die Reisebureaus zu Hunderten in allen möglichen der allerscheußlichsten Hotels in Mallorca anbieten und werden auf die Reise nach Mallorca geschickt, von welcher sie, das ist der insgeheime Wunsch ihrer Kinder und Gutscheinspender, nach Möglichkeit überhaupt nicht mehr und wenn, dann nurmehr noch als sogenannter *Joschi*, was im Reisebureaujargon soviel heißt wie im Kühlsack verpackte Leiche, zurückkommen. Natürlich ist mir auch dieses Mallorca und dieses Palma bekannt. *Im Zenith wohnen*, ist das Deprimierendste, in einem stinkenden, mit aufgerissenen, schmutzigen Plastikmöbeln und mit sich mühselig auf Krücken in den sogenannten Speisesaal, der ein finsteres luftloses Kellerloch ist, hineinbewegenden schon abgestorbenen Greisen und Greisinnen das Frühstück einnehmen und den Meeresblick genießen, indem man auf die unüberwindlichen Betonwände von gleich fünf oder sechs Meter vor dem Fenster in die Höhe gebauten Zinshäusern schaut. *Da wohnen Sie?* hatte ich gesagt, wie wir die junge Härdtl haben aussteigen lassen. Das hätte ich nicht sagen sollen, denn die Folge meines *Da wohnen Sie?* war ein heftig aus ihr herausquellender Weinkrampf gewesen. Da es unmöglich gewesen war, den Kontakt mit dieser verzweifelten, ja tatsächlich mit ihrem grausamen Unglück alleingelassenen jungen Frau mit diesem Weinkrampf auf immer abzubrechen, hatten wir, die junge Cañellas und ich, beschlossen, die junge Härdtl am nächsten Vormittag an den *Schauplatz*, so ihre eigene Bezeichnung!, ihres Unglücks zu bringen, sie hatte uns darum gebeten und wir hatten nicht nein sagen können, auch wenn wir wußten, wir kommen dadurch immer noch weiter in eine ja jetzt schon kaum zu ertragende Situation. In meinem Hotel hatte ich naturgemäß nicht geschlafen, die Begegnung mit der jungen Frau Härdtl hatte sich zu einem kaum zu überstehenden Alptraum entwickelt. Pünktlich um elf, wie verabredet, holten die junge Cañellas und ich die Härdtl im Hotel Zenith ab. Wenn man diese Art von Hotels, die ausschließlich aus Geldgier gebaut und betrieben werden, beschreiben wollte, müßte man sich entschließen, eine Senkgrube für Menschen zu beschreiben, was nicht meine Absicht ist. Wir fuhren, jetzt im Auto der jungen Cañellas, nach Santa Ponsa und fuhren gleich bis zum Hotel Paris, welches uns natürlich nicht bekannt war. Wir gingen zwischen zwei Betonmauern durch, die nur eineinhalb Meter auseinander und offensichtlich von zwei Besitzern in eine Zwölf- oder Dreizehnstockhöhe gebaut waren, zwängten uns sozusagen durch und standen aufeinmal an einer Stelle, von welcher aus man genau zu jenem Balkon hinaufschauen konnte, von welchem der junge Härdtl in die Tiefe gestürzt ist. Da oben ist der Balkon, sagte die junge Härdtl und zeigte ihn. Und da unten ist er gelegen, sagte sie. Mehr ist nicht gesagt worden. Wir hatten uns wieder durch die Mauern zurückgezwängt und waren ins Auto gestiegen. Schweigend fuhren wir nach Palma zurück, um vorher noch die junge Frau an ihrem *Hotel Zenith* aussteigen zu lassen. Wir haben sie nicht mehr gesehen. Es war uns unmöglich gewesen. Wir hatten mit ihr auch nichts mehr vereinbart. Außerdem wollte sie am nächsten Tag nach München zurückfliegen. Ich sehe noch ihr Gesicht, als sie sich verabschiedete. Ich werde dieses Gesicht immer sehen. Die junge Cañellas, das gescheite Mädchen; das es inzwischen, mit vierundzwanzig!, schon zu einem Chopinkonzert in Zaragoza und zu einem in Madrid gebracht hatte, und auch schon zu einer Einladung zu den Salzburger Festspielen, schlug mir vor, in die Nähe von Inca zu fahren, um dort zu Abend zu essen. Ich erinnere mich, daß wir bis zwei Uhr früh ausgewesen sind und daß ich, was ich schon über zwanzig Jahre nicht mehr getan hatte, mit ihr tanzte. Mit diesem Bild erwachte ich in meinem Korbsessel auf der Borne und schaute zu den Fenstern der Cañellas hinüber. Sie hatten Licht und waren also zuhause. Aber heute, gleich heute, melde ich mich nicht, sagte ich mir und wer weiß, ob ich mich überhaupt melde. Ein Mensch in meinem Zustand! Ich werde sehen. Die Dämmerung war da, ich stand auf, zahlte und ging ins Hotel zurück, langsam, wie es sich für einen Kranken gehört. Auf dem Molo habe ich ein paar Fischer angesprochen. Aber nur kurz, um gleich wieder weiterzugehen. Wir sehen soviel Traurigkeit, sagte ich mir auf dem Weg ins Meliá, *wenn* wir sehen, sehen die Traurigkeit und die Verzweiflung der Andern, während die Andern die unsrige sehen. Sie will nach Palma ziehen, die junge Unglückliche, habe ich gedacht, um in nächster Nähe ihres toten jungen Mannes zu sein. Aber wie und von was will sie denn in Palma leben? Wenn sie, wie sie sagt, jetzt in Deutschland nicht mehr leben kann, hier kann sie es schon gar nicht. Ich brachte naturgemäß auch jetzt den Gedanken an diese junge Frau nicht mehr aus meinem Kopf und ich fragte mich, was tatsächlich die Ursache dafür gewesen sein kann, daß ich sofort auf der Borne, also schon gleich wie ich mich in dem straßenseitigen Korbsessel niedergelassen hatte, wieder mit dieser Tragödie konfrontiert gewesen bin, durch was wirklich ich mich mit ihr habe konfrontieren lassen. Ich hätte alle meine Energien auf meinen Mendelssohn Bartholdy konzentrieren sollen, und der Gedanke an diese meine Arbeit war mir auf einmal durch die Tragödie der Härdtl, die, ja, wie ich gleich wieder denken mußte, schon über eineinhalb Jahre zurückliegt, sie liegt in Wirklichkeit schon über zwei Jahre zurück, und vielleicht trifft mich jetzt diese Tragödie erst richtig, während sie von der jungen Härdtl, dem eigentlichen Opfer und ihrem Sohn möglicherweise zu diesem Zeitpunkt längst überstanden, ja, auch das wäre möglich, dachte ich folgerichtig, bereits vergessen ist, entsetzlich. Tatsächlich hatte ich selbst seit meinem letzten Palmaaufenthalt nicht mehr an die Härdtl und ihr Unglück gedacht, es war mir nie eingefallen. Jetzt aber, durch den Umstand, daß ich mich auf der Borne in dem Korbsessel niedergelassen hatte, um mich zu beruhigen und auch um mich tatsächlich auszuruhen, war es aufeinmal wieder in meinem Kopf gewesen und es bohrte und bohrte und machte mich halb verrückt. Auf dem Weg ins Hotel, zuerst hatte ich noch bei den Cañellas läuten wollen, mich dann aber doch beherrschen können und nicht geläutet, auf dem Weg ins Hotel dachte ich dann, daß ich schon drei-, viermal in Palma mit meinem Mendelssohn Bartholdy habe anfangen wollen und nie ist es mir gelungen. *Nirgends* ist es mir gelungen. Auch in Sizilien nicht, auch am Gardasee nicht, auch in Warschau nicht, in Lissabon nicht und nicht in Mondsee. An allen diesen Plätzen und noch vielen anderen hatte ich immer wieder versucht, meinen Mendelssohn Bartholdy anzufangen, in alle diese Orte war ich im Grunde nur wegen dieser anzufangenden Arbeit gereist und hatte mich in ihnen so lange als möglich aufgehalten, umsonst. Bei diesem Gedanken deprimierte mich naturgemäß mein Weg ins Hotel. Plötzlich war eine dicke stinkende Luft, eine niederdrückende, an einer plötzlichen Atemnot schuld, die mich in dem kleinen Park vor dem Jachtclub stehenbleiben ließ, ich mußte mich sogar auf eine der dortigen Steinbänke setzen, um mich zu beruhigen. Diese Atemnotanfälle kommen plötzlich, ich weiß nie, warum, aus was für einem momentanen Grund, dann schlucke ich zwei, drei Glyzerinpillen aus dem Glasröhrchen, das ich ununterbrochen, gleich wo, bei mir habe. Aber es dauert immerhin zwei oder drei Minuten, bis sie wirken. Wie verschlechtert hat sich doch mein Zustand gegenüber dem letzten Aufenthalt, dachte ich. Wenn mich die Cañellas sehen, werden sie erschrecken. Andererseits, dachte ich, sieht man mir *meinen wirklichen Zustand*, der kaum mehr schlechter sein kann, nicht an, oder ich bilde mir das wenigstens ein. Alles langsam, alles vorsichtig machen, sagte ich mir, vorsichtig, das war das eindringlichste Wort des Internisten. Aber ich gebe nicht auf, dachte ich. Gerade jetzt nicht. Zuerst ist die Luft herrlich, würzig, ich lebe vollkommen auf, und von einem Augenblick auf den andern schlägt sie mich wie einen Hund zusammen. Ich kenne das. Aber von allen klimatischen Bedingungen, die ich kenne, ist das von Palma das beste. Und die Insel ist immer noch die schönste in Europa, auch die Hunderte von Millionen Deutschen und die genauso fürchterlich um sich schlagenden Schweden und Niederländer haben sie nicht vernichten können. Sie ist heute schöner denn je. Und welcher Ort und welche Gegend und was immer, dachte ich, hat nicht seine Kehrseite? Es ist gut, daß ich aus Peiskam weg bin und in Palma neu begonnen habe. Es ist ein Neuanfang, dachte ich und stand von der Steinbank auf und ging weiter. Die Palmen, die ich so groß in Erinnerung hatte, waren jetzt noch viel größer, an die zwanzig Meter hoch, hatten sie alle ungefähr in der Mitte des letzten Drittels oben, einen leichten Knick. Wie herrlich die Lichter der Passagierschiffe vom großen Hafen herüberglitzerten. *Hotel Victoria*, las ich, auch da hatte ich einmal gewohnt, aber jetzt, in den letzten Jahren, hat sich die ganze widerliche Meute der sogenannten Neureichen daraufgestürzt und es unerträglich gemacht. *Nein, nie wieder in das Victoria*, sagte ich mir. Ich ging jetzt, etwa fünfzehn Minuten nach meinem Atemnotanfall, aufeinmal ganz leicht das Molo entlang und hatte ganz unbewußt, meine alte Gewohnheit wieder aufgenommen: ich zählte die Masten der Segelschiffe und der Jachten, die hier zu Tausenden ankerten, die meisten gehörten Engländern, die ihre Schiffe verkaufen wollten und beinahe an jedem zweiten war ein Schild mit *for sale*; jetzt hat auch England endgültig abgedankt, sagte ich vor mich hin. Der Satz belustigte mich aber, obwohl er mich hätte noch trauriger machen können, als ich schon war. Im Hotel ging ich nicht gleich auf mein Zimmer, sondern blieb in der Halle sitzen. Sehen wir einen uns unbekannten Menschen, sagte ich mir, von einem wirklich idealen Platz in der Halle aus, so wollen wir sofort wissen, was er wohl ist und woher er kommt. Dieser Neugierde kann ich am besten in den Hotelhallen nachgeben und ich entwickle sie jedesmal bei einem Hotelaufenthalt zu meinem Lieblingsspiel. Vielleicht ist der ein Ingenieur? oder, noch präziser, ein Kraftwerkebauer? Vielleicht ist jener ein Arzt, ein Internist oder ein Chirurg? Und dieser ein Großkaufmann? Und dieser ein Bankrotteur? Ein Fürst?, in jedem Fall verkommen. So kann ich stundenlang in der Hotelhalle sitzen und mich fragen, was der und jener ist, und schließlich alle, die die Halle betreten, sind. Bin ich müde, gehe ich auf mein Zimmer. An diesem Abend war ich, allein durch den Gang auf die Borne und wieder zurück und vor allem durch die Katastrophe dieser Härdtl, die mir die ganze Zeit nicht aus dem Kopf gegangen war, völlig erschöpft gewesen. Früher hatte ich mir ein Glas Whisky mit aufs Zimmer genommen, jetzt nur ein Glas Mineralwasser. Ich dachte, ich werde schlafen, aber ich schlief nicht. Es war doch gut, daß ich meinen Pelz umgehängt hatte, dachte ich, mit Sicherheit hätte ich mich auf der Borne sitzend, verkühlt. Wenn wir die Sätze im Kopf haben, dachte ich, haben wir noch nicht die Sicherheit, sie auch aufs Papier zu bringen. Die Sätze machen uns Angst, zuerst macht uns der Gedanke Angst, dann der Satz, dann, daß wir diesen Satz möglicherweise nicht mehr im Kopf haben, wenn wir ihn aufschreiben wollen. Sehr oft schreiben wir einen Satz *zu früh* auf, dann wieder einen *zu spät;* wir haben den Satz zu dem richtigen Zeitpunkt aufzuschreiben, sonst ist er verloren. Meine

Arbeit über Mendelssohn Bartholdy ist ja *eine literarische*, sagte ich mir, *keine musikalische,* während es doch durch und durch eine musikalische ist. Wir lassen uns von einem Thema fesseln und sind viele Jahre lang davon gefesselt, Jahrzehnte, und lassen uns unter Umständen von einem solchen Thema erdrücken. Weil wir es nicht früh genug angehen oder weil wir es zu früh angegangen haben. Die Zeit macht uns alles zunichte, gleich, was wir tun. Ich richtete mir die für meine Arbeit notwendigen Schriften und Bücher auf dem mir vom Hotel ins Zimmer gestellten Schreibtisch so zurecht, daß ich schließlich auf die Richtigkeit, also auf die Gesetzmäßigkeit ihrer Anordnung vertrauen konnte. Wahrscheinlich habe ich auch nur deshalb immer wieder mit meiner Arbeit nicht anfangen können, weil die Bücher und Schriften auf meinem Schreibtisch nicht richtig geordnet waren, sagte ich mir. Bevor ich ins Zimmer gegangen bin, habe ich allen ein, wie ich glaube, sehr großzügiges Trinkgeld gegeben, ich hatte den Eindruck, sie schätzten es ebenso hoch ein wie ich. Sie haben ja immer alles getan für mich, sie sind so liebenswürdig wie immer. Ich komme dreißig Jahre nach Palma und seit über zehn Jahren ins Meliá, den Leuten ist der Österreicher vertraut. Jedesmal habe ich bei meiner Ankunft gesagt, daß ich eine Arbeit über meinen Lieblingskomponisten schreiben werde, aber ich habe sie bis heute nicht geschrieben. Wenn ich in mein Zimmer siebenhundertvierunddreißig komme, ist schon ein Stoß Papier auf dem Schreibtisch. Reise ich ab, gibt es den Papierstoß nicht mehr, weil ich ihn vollgeschrieben, aber nach und nach zur Gänze weggeworfen habe. Vielleicht habe ich heuer Glück! sagte ich mir. Ich trat auf den Balkon, aber das grelle Licht, mit welchem die Kathedrale angestrahlt ist, blendete mich und ich zog mich für den Abend endgültig in mein Zimmer zurück, zog die Vorhänge zu und ich glaubte, wie gesagt, einschlafen zu können und konnte natürlich nicht einschlafen. Wie sie das erstemal nach dem Tod ihres Mannes von München nach Palma geflogen war, hatte sie nach ihrer Rückkehr mit Entsetzen zur Kenntnis nehmen müssen, daß in der Zwischenzeit ihr Geschäft in Trudering ausgeräumt worden war bis auf einige wertlose Stücke. Die Versicherung, die sie abgeschlossen hatte noch bei Lebzeiten ihres Mannes, zahlte nicht, weil sie das Geschäft nicht den Sicherheitsvorschriften gemäß abgesichert gehabt hatte, so die Härdtl. Daraufhin wurde sie von einer amerikanischen Firma, von welcher sie die meisten Apparate auf Lager gehabt hatte, verklagt, es ist ein Millionenprozeß, so die junge Härdtl. Aber einem solchen Menschen ist, dachte ich, ich lag schon drei Stunden, ohne einschlafen zu können, im Bett, nicht zu helfen. Es gibt tatsächlich Millionen solcher unglücklicher Naturen, die aus ihrem Unglück nicht zu retten sind. Sie fallen, solange sie leben, von dem einen Unglück ins andere, ohne daß etwas dagegen getan werden kann. Ein solcher Mensch ist die junge Härdtl, dachte ich. Ich stand auf und legte das Buch von Moscheles, das auf der rechten Seite des Schreibtischs auf dem Buch von Schubring gelegen war, auf die linke Seite, unter das Buch von Nadson. Dann legte ich mich wieder ins Bett. Ich dachte an Peiskam, welches wahrscheinlich völlig eingeschneit und im Frost erstarrt ist. Wie hatte ich nur glauben können, diesen Winter auch nur ein paar Wochen in Peiskam bleiben zu können. Ich bin doch recht starrköpfig, dachte ich. Peiskam und alles, das damit zusammenhängt, habe ich vollkommen ausgeschöpft, dachte ich. *Johann Gustav Droysen nicht vergessen*, dachte ich. *1874, Violinkonzert e-moll vollendet*, dachte ich. Ich stand auf und notierte mir diesen Satz, um mich gleich darauf wieder niederzulegen. *Erste Aufführung Elias in Bir-*

mingham 26. August 1846 fiel mir ein, wieder stand ich auf und ging zum Schreibtisch und machte die betreffende Notiz. Wenn wir einen Menschen treffen wie die Härdtl, dachte ich, der *so* unglücklich ist, sagen wir uns gleich, wir selbst sind gar nicht *so* unglücklich, wie wir glauben, wir haben ja eine Geistesarbeit. Aber was hat diese junge Frau, außer daß sie ein dreijähriges Kind von einem Mann hat, der ihr mit dreiundzwanzig Jahren weggestorben ist, auf was für eine Weise immer? Tatsächlich richten wir uns an einem *noch* unglücklicheren Menschen sofort auf. Und unsere Krankheit, selbst unsere Todeskrankheit, ist beinahe nichts. Anstatt über Mendelssohn, schreibe ich diese Notizen, denke ich und: ich muß Elisabeth, meine Schwester, in Wien anrufen. Bis halb drei Uhr früh schlief ich nicht ein, ich dachte an meine Arbeit, *zehn Jahre aufgeschoben, hinausgeschoben*, dachte ich und wie ich sie am Morgen anfangen werde, mit was für einem Satz, und ich hatte auf einmal eine Reihe von sogenannten ersten Sätzen im Kopf. Und an die junge Härdtl. Ihr Unglück ist, sagte ich mir, daß sie den jungen Härdtl, ihren Mann, zur Aufgabe seiner Ingenieurslaufbahn und in ein zu ihm gar nicht passendes Geschäft gezwungen, und ihm dann auch noch, aus was

für einem Grund immer, die Mallorcareise eingeredet hat. Eine fürchterliche Idee, dachte ich,
Ende August nach Palma zu fahren! Die Stadt
und die ganze Insel sind nur im Winter schön,
aber dann schöner, als alles andere auf der
Welt. Ich hatte nur zwei Stunden geschlafen
und war um halbsechs Uhr aufgewacht mit
diesem Gedanken: ich bin jetzt achtundvierzig
Jahre alt und habe genug. Am Ende haben wir
weder uns, noch sonst etwas zu rechtfertigen.
Wir haben uns nicht gemacht. Und anstatt an
den Mendelssohn zu gehn, was ich ja unbedingt vorgehabt hatte und wozu ich im
Grunde sogar aufeinmal, wie ich um halb vier
Uhr früh geglaubt hatte, die idealen Voraussetzungen gehabt hatte, dachte ich nach dem Aufwachen doch nurmehr noch an die junge
Härdtl. Der Fall ließ mir keine Ruhe und ich
stieg schon mit einem vielleicht auch mit einem
bevorstehenden Wetterumschwung in Zusammenhang stehenden Kopfweh um dreiviertel-
sechs auf, weil ich mich unter gar keinen Umständen einer voraussehbaren, tatsächlich mit
Sicherheit auf mich zukommenden Depression
zwischen Liegenbleiben und Aufstehen ausset-
zen wollte. Die junge Härdtl ließ mir keine
Ruhe und ich war naturgemäß an diesem Morgen überhaupt nicht imstande, mit meiner

Mendelssohn-Arbeit anzufangen. Ich muß so schnell als möglich auf den Friedhof, sagte ich mir, ich weiß nicht, aus was für einem Grund aufeinmal mit einer entsetzlichen Entschiedenheit. Ich bestellte noch vor sieben Uhr ein Taxi und fuhr zum Friedhof. Dort hatte ich keinerlei Schwierigkeiten, die letzte Ruhestätte des jungen Härdtl zu finden. In wenigen Minuten war ich dort. Aber zu meiner Verblüffung standen jetzt auf der betreffenden, in den Beton eingelassenen Marmortafel nicht mehr, wie vor eineinhalb Jahren noch, die Namen *Isabella Fernandez* und *Hanspeter Härdtl*, sondern, beide schon eingemeißelt in den Marmor, *Anna und Hanspeter Härdtl*. Ich drehte mich augenblicklich um und ging rasch zu dem neben dem Leichenkühlhaus Dienst versehenden Friedhofspförtner. Nachdem ich diesem meine Frage ganz deutlich und wie ich sehen konnte, selbst auf spanisch sehr gut verständlich machen hatte können, sagte der Portier nur mehrere Male das Wort *suicidio*. Ich lief zum Irrenhaus hinüber, um mir ein Taxi kommen zu lassen, was vom Friedhof aus nicht möglich gewesen war und fuhr sofort ins Hotel zurück. Ich zog die Vorhänge meines Zimmers zu, schreibt Rudolf, nahm mehrere Schlaftabletten ein und erwachte erst sechs-

undzwanzig Stunden später in höchster
Angst.

Bibliothek Suhrkamp

Verzeichnis der letzten Nummern

Bibliothek Suhrkamp

Alphabetisches Verzeichnis